THE IDOLM@STER MILLION LIVE!
THEATER DAYS
Brand New Song

THE IDOLM@STER MILLION LIVE!
THEATER DAYS
Brand New Song
4

ima
BANDAI NAMCO Entertainment

…·…♪

부우우우웅…

아… 이 노래

그런데 전에 시즈카가 말했거든요~?

정말로 와줬다는 연락을 받았을 때는 이걸로 39프로젝트는 엄청난 뭔가가 될 거야! 라고 말이야

모르게 승리 포즈까지 했었지

하하… 사실은 나도 기대는 안 했어

…오빠는 그런 사람을 잘도 스카우트 해왔네

원래 음악 선생님 이었다고 했지

역시 좋다… 나, 요즘 푹 빠졌어

저기 보여요!

그나저나 정말… 좋은 노래 네요… 아

투덜투덜

모가미 시즈카
SHIZUKA MOGAMI

그건… 반성하고 있습니다…

어떤 이유가 됐던 아무 연락도 없이 저희를 방치하는 건 아닌 것 같아요! 라고.

제16화 내일도 꽃피우기 위해

도착했다~!

나나오 유리코
YURIKO NANAO

바바 코노미
KONOMI BABA

스오 모모코
MOMOKO SUOU

얼리 크리스마스가 끝나고 조금 지나, 차갑고 메마른 공기 속에도 연말의 들뜬 분위기가 감돌기 시작하는 무렵…

저희 「Fleurs」는 온천 리포터 촬영을 위해 전통 있는 온천 료칸에 왔습니다

코노미 씨

분위기 정말 좋다…! 신들이 사실 것 같아…

가자, 모모코!

아… 자, 잠깐만.

하지만 촬영은 내일. 일찍 온 덕분에 시간은 얼마든지 있으니까 … 오늘은 실질적으로, 셋이서 보내는 쉬는 날 입니다…!

4

코노미 씨—

부르네요. 그럼 저는 이쯤에서…

뭘요… 계속 열심히 해주셨는데, 좀 쉬셔야죠

예, 알겠습니다. …연말인데, 신경 쓰게 해서 미안해

…그렇게 돼서… 촬영 스태프분들 하고는 내일 오후에 합류할 예정이니까, 그때까지 마음대로 하셔도 돼요

그럼, 오늘은 사양 않고 쉴게♪

살랑살랑

…고마워 프로듀서!

찰칵

이 방 입니다

… 모모코한테 뭐 숨기는 건 아니겠지!

뭐~? 무슨 소리야, 그런 거 없어

…저기, 코노미 씨. 오빠랑 무슨 얘기 했어?

응? 그냥 일 얘기. 그리고 오늘은 푹 쉬어도 된다고 했어~

흐~ 응…

타박 타박

헤에~!
꽤 좋은
방이네

와아...

......
안절부절

타악...

......!

뀨벅

그럼
편히
쉬세요
...

이리
와봐!
바깥
경치도
정말
좋아

이리이리이이...

다다미
냄새...
좋아해서...
으흐흐...

어?!
뭐 하는
거야?

철퍼덕

흐아앙

...
이상해
...

6

이렇게 편안한 기분으로 느긋하게 쉬는 게… 몇 달 만이지…

······

저억 저억저억저억…

… 조용하고 좋네요

그러게…

아… 그, 그래?

형이 넘치네

성질 라고요!

벌떡

맞다! 그 전에 다 같이 잠깐 밖에 나갈래요?!

사실 이 근처에 제가 좋아하는 책의 무대가 된 장소가 있다는 것 같아서…!

그러게… 그럼 오늘은 온천에 들어갔다가 방에서 푹 쉬면서…

유리코…

평소의 피로를 푸는 것도 좋겠네

우와~
여기는
사람이
엄청 많네…

아~ 진짜! 자, 손잡아!

언니~ 같이 가!

관광 시즌 이니까요… 방심하면 잃어버릴지도—

어?

……

꾸욱

♪

멈칫

스윽

…우리코 씨랑 코노미 씨는 모모코 언니가 아니잖아

두 사람하고는 대등한 관계로 있고 싶어

9

…모모코! 부탁할 게 좀 있는데…

어…?

……!

혹시나, 내가 길 잃어 버릴지도 모르니까…

손… 잡아주면 안 될까?

스윽

깜짝

……

에헤헤… 고마워. 모모코만 믿을게!

뭐, 뭐야~ 정말 어쩔 수 없다니까, 유리코 씨는…

꼬오옥…

그, 그런 게 아니라. 요즘 왠지 눈물이 많아져서 말이야…

호, 혼자만 따돌린다든지 그런 거 아니거든?! 코노미 씨도 손잡아줄까…?

뭐, 뭐야… 왜 우는데…?!

아…

??

모모코 좀 피곤해~

여기저기 꽤 돌아다녔네요…!

후…

그러게… 난 다리 엄청 아파

선물 때문에 짐도 많아졌으니까… 슬슬 숙소로 돌아갈까

자!

응?

저… 저저저기…!

나나오 유리코 씨… 맞나요…?!

네에

?

바람의 전사 씨! …맞죠?!

우와…!

공연 뒤 교류회에서

와?!

고맙습니다!

기, 기억하고 계셨나요…?! 감격했어요…!

바람의 전사… 바람의 전사 라고…!

저, 저도 바람의 전사로서… 으… 응원할게요…!

제가 막 데뷔했을 무렵에 공연에 와주셔서…

이… 이런 기적… 다시는 없을 테니까… 유, 유리코 씨가 받아주셨으면 싶은 게 있는데…

쓱…

이거…

어, 어라…?!

하, 하지만 바람의 전사는 유리코 씨가 라이브에서 멘트로 했던 말이 멋있어서… 흉내 낸 거고…

제제, 제가 생각한 게 아니에요…!

아… 예… 가, 가족이랑 같이 여행 왔는데… 이번 교류회에서는 꼭 용기를 내서 드리고 싶어서… 아까 방에서 썼거든요…

저… 저기!

삔쩍

우와…! 이거 혹시 팬레터 인가요?!

에헤헤… 팬레터 받았네

정말 기쁘다♪

꼬옥

탁

아… 앞으로도 응원할게요! 실례하께여!

앗…!

음~ 그냥 괜찮지 않을까. 좋은 사람 같았으니까…

잠깐 확인해 볼게

슥

현재 765프로의 아이돌에게 들어오는 편지들은, 전부 코토리 씨나 미사키 씨 또는 프로듀서 씨가 먼저 체크하고 있습니다.

아무래도 예전에 이상한 괴문서나 불행의 편지가 왔던 적도 있었다나요….

근데… 얼떨결에 받긴 했지만, 마음대로 읽으면 안 되겠지…

14

...내가 본 인상? 그러니까...

갑자기 미안해, 실은 이래저래한 일이 있는데...

응, 나야

......

응, 프로듀서한테

확인 이라니... 누구한테 전화하게?

......

아, 여보 세요?

삑

아~ 어흠

그치. 뭔가 수상하지

그, 그 얘기는 ...?!

뭐! 그랬어?!

리오 쌤과 그랬어

요즘 오빠랑 술 마시러 다닌대. 개인적으로

... 코노미 씨 말이야

...
...

... 코노미 씨, 평소 같으면

어쩌다 타이밍이 맞았을 때만 같이 어울릴 뿐 이라고나 할까...

그냥 술친구야, 술친구!

그리고 분명히 말해두는데! 그런 거 아니거든!

읽어도 된대

아~진짜! 빨리 편지나 읽어봐!

그렇다면…?!

아응!

이렇게 말했잖아? 근데 오늘은 왠지 필사적 이네

우후

어머, 궁금해?

여기서 부터는 어른들 비밀이야 ♪

……

팔랑

중얼 중얼

정말이지— 어른을 놀리지 말라고 … 무엇보다 난 아이돌 이라고…

—나나오 유리코 씨에게.
처음으로 편지를 써봅니다.

지난 번 얼리 크리스마스 라이브에 참가했습니다.
안나 씨와 듀엣에서도, FleurS의 스테이지에서도,
오랜만에 직접 보는 유리코 씨가 너무 멋져서…
전부 즐거운 곡이었는데, 저도 모르게 눈물이 나왔습니다.

…최근에는 극장에서 노래하는 일이 줄어서,
사실은 아주 조금 아쉬운 기분이 들었지만,
활약의 폭을 점점 넓혀가는 유리코 씨와 멤버들을
라디오와 TV를 보고 들으면서 응원해왔습니다.
그래서 지난 라이브에서 오랜만에 유리코 씨와 멤버들이
극장에 온다는 이야기를 들은 때부터 계속,
당일이 오기를 정말 기대했습니다.
최고의 추억을 주셔서 정말 감사합니다

…집에만 있고, 책 읽는 것 말고는 취미도
없었던 제가… 동생을 따라서 갔던
39프로젝트 데뷔 라이브에서 유리코 씨를
만난 뒤로, 많은 것들이 달라졌습니다.
유리코 씨에 대해 더 알고 싶어서 밖으로 나왔고,
현실의 여러 세상들을 접하게 됐고…
머리 모양도 따라하면서, 조금씩,
저 자신도 좋아하게 됐습니다.

용기가 부족할 때, 좌절할 것 같을 때,
항상 유리코 씨 노래에서 힘을 받고 있습니다.
당신의 웃는 얼굴을 정말 좋아합니다.

운 날이 계속되고 있습니다만, 건강에 주의하시고,
부디 앞으로도 건강하시길 빕니다.
바람의 전사의 마음은…

바람의 전사의 마음은 언제나 당신과 함께 있습니다.

끄덕

저기…
저…
아이돌이
돼서…

끄옥…

데뷔 때 팬이
지금도 이렇게
응원해주는 건…
유리코가
열심히 해왔기
때문이야.

…팬들이
계속 자신을
좋아해주는 건,
정말 대단한
일이네.

잘
했어요
…!

지금까지
열심히
해오길
…

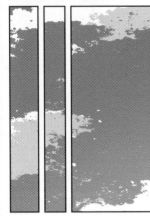

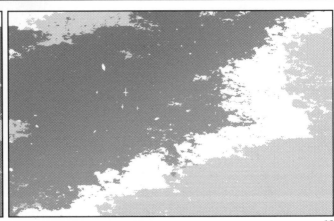

후…
잘 먹었다!

유리코 씨는
금세 겉으로
드러나니까
… 뭐,
그만큼
댄스 레슨을
많이 하면
되잖아

아으…♪

전…
너무 많이
먹어
버렸어요…
이제 곧
설
연휴인데

버썩
연말의 불안이…

묵…
찍

요리도
절품이었어!
아무리
일이라도
이게 공짜인
데다 내일도
먹을 수
있다니…
정말
대단하네♪

우와~
대단해!
완전히
전세 냈네!

드르르르

그거,
칭찬하는
거지?

미용 효과도
있어서,
피부 연령이
팍팍
내려간다는
평판이
있더라고!

…사실
나, 이번
촬영에서
이걸
제일
기대했어

빠 앵
거기서
더 내려가는
건가요?!

참방~

응~~?

뭐라고
했어~?

코노미 씨,
할머니
같아요

살 것 같다
~~~

흐이
ㅡ
ㅡ
ㅡ
…

푸읍

자, 잠깐,
하지
마…

아하,
아하하!

첨방
첨방

그런
소리하는
못된
애는~~
간지럼
태울 거야!

그냥 좀…
지금까지
있었던
일을
생각하느라
…

예?!
아, 안
잤어요!

진짜네

저기 봐,
유리코는
자고 있어

오늘도 팬분이 엄청 큰 응원과 힘을 주셨죠…!

…데뷔할 때까지는 오래 걸렸지만… 아이돌이 돼서 무대에서 노래 부르고…

…제가 이런 시간을 보내다니… 작년에는 상상도 못 했거든요…

모모코랑 코노미 씨하고 유닛까지 짜고… 셋이서 여러 곳에 가고…

… 즐거웠어

힘든 일도 정말 많았지만…

나도… 사무원에 지원했는데, 어느새 이렇게 됐네

앗…!

이제 연말… 내년에도 올해처럼— 아니, 올해보다 더 빛날 수 있도록!

우리 같이… 톱 아이돌을 목표로 열심히 해봐요!

23

사놓고 못 읽은 책들이 많아서… 이런 기회에 다 읽으려고!

아… 그래

모

유리코 씨, 책 가지고 왔구나

좋았어! 계속 읽어야지…♪

응!

…?

푸욱

미기껏… 박 하는 건데

중열중열

…근데 다 같이 있으면서 혼자서 책 읽는 건, 좀 그런 것 같거든

어윽

쾅앙

…

모모코는 말이야, 유리코가 놀아줬으면 싶은 거야

후훗

뭐…!

또 그런 투로 말하네… 솔직하게 말하면 되는데

다닥

NON ALCOHOL

네…?

유리코

24

에헤헤헤♥

뭐~?

노… 놀리지 마… 유리코 씨도! 착각하면 안 되거든—

뭐야 그 표정! 자, 잠깐…

따, 딱히 그런 거 아니거든! 그렇게 말하면… 내가 어린애 같잖아

어머나! 얼마 전에는 어린애라고 하지 않았던가♪

TV에 뭐 재미있는 거 하려나~

모모코 ~!

이거 봐~!

아

카오리 나온다

저기, 이거 봐봐!

오늘 밤 첫 등장! 사쿠라모리 카오리 씨

사쿠라모리 카오리
KAORI SAKURAMORI

…요즘

극장 사람들을 TV에서 보는 일이 많아졌네

저는 최근 몇 달 동안 유닛 활동이 너무 바빠서… 극장에서 무슨 일었는지 거의 몰랐습니다

전에… 안나한테도 얘기했지만…

역시 멋지다…

…특히 카오리 씨는 요즘 대단했죠…

응… 다들 열심히 하고 있으니까

그 중에 하나가, 지금 TV에 나오는… 사쿠라모리 카오리 씨가 출연한—

세상을 떠들썩하게 했던 몇 가지 일들은 제 귀에도 들려왔거든요.

그렇다고 전혀 몰랐던 건 아니에요.

26

「Brand
New Song
(브랜 뉴 송)」
제6 공연

…
39프로젝트
아이돌의…

첫 완전
솔로
라이브…

―자, 여기서
노래를
들어보겠
습니다!

올해 하반기에
갑자기 나타난 새 별.
지금 크게 주목받는
미인 보컬리스트,
사쿠라모리 카오리
씨가
부릅니다―…

「허밍 버드」

「Brand
New
Song」
공연

두근,

765프로의 새로운 움직임으로서 서서히 화제를 불러왔고, 최근에는 많은 취재진들도 불러모아서 공연하고 있습니다.

극장의 신인 아이돌들이 솔로곡을 처음으로 피로하는 것은 물론, 앞으로 활동하게 될 아이돌 유닛도 탄생하기 시작한 새 프로젝트…

카오리 씨의 첫 싱글 「허밍 버드」는 발매한지 몇 주가 지난 지금도 랭킹 상위에서 머물고 있습니다.

몇 개월 전, 카오리 씨는 저희처럼 데뷔 1년차인데도 그 공연 중에 한 코너를 혼자서 소화했고… 큰 성공을 거뒀습니다.

황홀…

카오리 씨… 대단 했어….

마치 신화에 나오는 전설의 가희 처럼…!

하아…

스튜디오에 있는 손님들, 완전히 빠져들 었어…

짝짝짝…!

그리고 지금…

카오리 씨는 그 가창력을 높이 평가받아, 아이돌의 틀을 벗어나 실력파 보컬리스트로서 다양한 업계에서 주목받고 있습니다

유리코도 정말 매력적이거든… 그리고 카오리는 의외로 어린애 같고 귀여운 구석도 있어

하아...

왠지 저보다 높은 차원에서 살아가는 존재 같아요…

카오리 씨하고는 얘기해본 적이 거의 없지만…

외모도 예쁘고 우아한 데다 편안하면서 예쁜 목소리, 게다가 글래머러스…

…너희가 그렇게 생각한다는 걸 알면, 본인도 깜짝 놀라지 않을까

제6 공연이 솔로 라이브로 정해졌을 때도… 카오리, 정말 고민했거든.

뭐~ 상상도 못하겠다

단 것만 보면 정신을 못 차리고, 귀여운 걸 보면 엄청 신이 나고, 아침에 늦잠도 자고 말이야.

뭐… 조금은

—그럼 사쿠라모리 씨, 내년에는 가수로서 어떤 해가 됐으면 싶으신가요? 포부를 말씀해 주시겠습니까

…코노미 씨, 그 일에 대해 뭔가 아세요?

재즈나
R&B(알앤비),
발라드…
테크노, 힙합도…
후훗♪

—그러니까,
역시 저는 노래가
좋으니까요…
다양한 장르에
도전하면서
제 가능성을
찾아가고
싶어요.

…왜냐하면
저는…

…정말
좋아하는
분들과 함께.

…하지만
내년에는
노래 말고도
더 다양한
활동을 하고,
다양한 이벤트
스테이지에서
팬 여러분을
만나고 싶어요.

저는,
아이돌
이니까요…

사쿠라모리 카오리

KAORI SAKURAMORI

반짝이는 목소리를 지닌 아름답고 어른스런 여성 아이돌입니다.

어릴적부터 노래와 함께 자라왔고, 예전에는 음악 교실 선생님.
아이돌이 된 지금도 종종 극장 사람들에게 노래 레슨을 해주고 있습니다.
아버지는 자위관이고, 골프나 승마를 배운 엘레강트한 여성이지만,
한편으로는 이번에 코노미 씨가 말한 것처럼 귀여운 일면도 있고,
프로필사진 찍는 날 착각해서 수영복을 입고 오는 살짝 맹한 구석도…?
하지만 그런 점도 전부 다 멋집니다!

이번에는 대사가 얼마 없었지만, 다음 편부터 제6 공연에 대해 다루면서
서브 스토리로서 몇 화 동안 FleurS와 카오리 씨의 교류에 대해 그려볼까 합니다.
모두의 활약을 기대해주세요!

Written by ima

저는 아이돌 이니까요…

화면 속에서 그렇게 말한 카오리 씨는, 어째선지 정말 쓸쓸해 보였고…

… 코노미 씨

그렇게 생각한 나는, 물어볼 수밖에 없었습니다

내가 멋대로 생각하던 카오리 씨의 이미지와 진짜 카오리 씨는 전혀 다를지도 몰라

뭐랄까…

카오리를 고상하고 다가가기 힘든 사람이라고 생각하는 것도 좀 그러니까…

제6 공연에서 무슨 일이 있었나요 …?

아주 조금만, 그때 얘기를 해볼까

그건 「Brand New Song」 제5 공연에서, 미야 씨네가 유닛으로 데뷔한 직후…

정기 공연이 끝난 뒤…

어~ 뭐라고?

THEATER

그렇게 됐어~!

그럼 코노미 언니네는 당분간 극장 정기 공연에 못 나오는 거야?

모모세 리오
Rio MOMOSE

이거,
전부
유닛으로
...?

맞아. 뭐...
우리가
스케줄을
많이
잡아달라고
부탁하긴
했지만

지방
공연에
지역
이벤트
홍보,
TV 오디션,
전부 밖에서
하는
일이네요

으아,
꽉 찼네

이거 봐

......?

리, 리오.
그때
얘기는
제발...

크, 음

...염원이
었던
유닛
활동을
열심히
또 하는 것도
예전처럼 좋지만
너무 열심히
하는 거
아냐?
왜,
제2 공연
때...

그야 뻔하지!
아이돌의
목표라면
하나뿐
이잖아?

목표...?

우물... 우물...

지금 나...
아니,
우리한테는
확실한 목표.
그때랑은
다르니까
괜찮아.

톱
아이돌이
되는 거야

…코노미
언니,
유닛 만든
뒤로
달라졌네.

예전보다
멋있어
졌어

부끄럽긴!

딴얀한잔아

……
……

…뭐야,
왜…
안
웃는데?

어떻게
웃겠어!

저, 저도
그렇게…

…톱
아이돌…

멋져요.
정말로…!

나, 나는 리오가 폭주하는 건 아닌지 걱정돼서

쉿.

아냐!

말은 그렇게 하면서, 언니도 같이 따라 왔잖아!

둘이서 무슨 얘기 하는지 궁금하지 않아?

엿듣는 기는 좀...

솔솔...

뭐야 리오. 악취미야...!

!

역시...

—의뢰했던 카오리 씨 솔로곡이 나왔어요

♪

♪

...「허밍 버드」

정말 좋은 곡이네요…

정말로 제가 이 곡을 불러도 되는 건가요?

갑작스럽지만, 다음 「Brand New Song」 제6 공연에서 이 곡을 공개하고 싶은데…

예! 꼭 하고 싶어요!

…그래서 말이죠, 이건 아직 확정된 건 아니지만… 솔직히 지금까지 해온 공연과 좀 다르게 해보고 싶습니다

예?

괜찮습니다, 마음에 든 것 같아서 다행이네요

아… 죄송해요. 저도 모르게 흥분해서…

하하!

너무 애들같았죠…

──솔로 라이브?

그, 그렇게 말씀해 주시는 건 고마운데요...

솔솔

그렇게 하면 큰 화제가 될 테고, 세상에 큰 임팩트를 주기 위해서 이번부터는 취재진도 잔뜩 불러서

솔솔

그렇기 때문에 솔로곡을 처음 공개하는 무대에서는 그것을 전면적으로 어필해서, 순수하게 카오리 씨의 노래만을 즐길 수 있는 무대로 만드는 거죠...

물론 높은 수준의 비주얼이라든지 댄스 능력 같은 것도 크나큰 매력이지만, 카오리 씨의 가장 강한 무기... 신인 아이돌 중에서도 유난히 뛰어난 가창력은 절대로 빼놓을 수 없습니다

전 말이죠, 카오리 씨의 장점은 가창력 이라고 생각 합니다

쟈— 안

그리고 지금까지 극장 정기 공연에서 다양한 곡에 참가했고. ...실력에 대해서는 자신을 가져도 좋을 겁니다

...카오리 씨 예전부터 혼자 무대에서 노래한 경험도 있는 걸로 압니다

혼자서 여러 곡을...

저 혼자... 라는 거죠

정말 잘 됐네! 해버려, 카오리!

뚜욱

!?

리오...!

하지만... 전 아직...

나한테 한 거랑은 반대로 말하네…! …뭐, 상황이 전혀 다르니까

이런 기회 흔치 않아. 꼭 도전해 봐야 해

불안하면 우리도 같이 연습 도와줄 테니까… 어때! 응?

여자는 배짱! 아이돌 인생에서도 딱 한 번뿐인 솔로곡 첫 공개잖아! 솔로 라이브에서 카오리 매력을 보여주다니, 정말 최고야!

리오도 이렇게 말하니까… 잘 생각해 보세요

음…!

…그건 그렇고 코노미 씨

리오…

그래서 내가, 그 뒤에 물어봤어. 대체 뭐가 그렇게 걱정이냐고… 그랬더니…

—그래도 카오리는 불안을 씻어낼 수 없나봐

까약 까약

잠깐, 거기 두 사람! 지금 무슨 뜻이야!

리오를 좀 잘 보고 있어 줬어야…

난 말리려고 했는데…

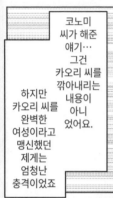

코노미 씨가 해준 얘기… 그건 카오리 씨를 깎아내리는 내용이 아니 었어요.

하지만 카오리 씨를 완벽한 여성이라고 맹신했던 제게는 엄청난 충격이었죠

네…!?

카오리 씨랑 얘기하고 싶어

…카오리 씨는 지금, 어떤 기분으로 지내고 있을까

저… 저는…

…모모코, 초능력 있어 …?

…그 정도는 나도 알거든

…라고 생각 했지

44

며칠 뒤…

설마 이렇게 빨리 올라올 줄이야

음…

수신중
나나오 유리코

유리코?

웡-
웡-

굴러굴러

본인한테 말하면 좋아하겠지만, 지금은 타이밍이 좀…

응?

덜커덩!

여보세요. 아… 온천 촬영 수고 많았어. 스태프랑 료칸 사람들 평판도 좋더라고. 방송이 기대되네

오늘은 아마… 모모코랑 둘이서 10대 대상 잡지 인터뷰였지. 그쪽도 무사히 끝났다고? 그, 그렇구나

타다닷…

두목~!

뭐…? 나한테 물어볼 게—

두 사람이 올 때까지 심심해~ 두목이 놀아줘! 눈싸움 하자…

타, 타마키…

으억!

엇? 타마키?

…라?!

오오가미 타마키
TAMKI OGAMI

퍼—억

아, 아냐. 유리코니까 아무 문제 없어

맞아 타마키! 나니까 아무 문제— 응? 저기요 프로듀서 님?

뭔가 필롱한 씀…

혹시 일하고 있었어?! 미안해…

헉

카오리 씨 말인데요, 다음에 극장에 오는 건 언제쯤이죠…?

그러니까

대단한 얘기는 아닌데…

아… 미안해. 그래서 물어볼 게 뭔데…

얌전히 있어야지♪

님전

안전

찰칵

아~
왔다~!

타다다다

슈우

히약!

모모코
~!

쿡

뭐~
대체
왜?!

왜는
무슨...
자,
내 말
잘 들어

오랜만
이야~!
저기저기
뭐 하고
놀까?
술래잡기?
숨바꼭질?!

흔들

자,
잠깐만
타마키
...! ...
뭐냐고!
안 놀
거야!

흔들

그, 그치만~!

모모코가 요즘 많이 바빠서 그런지, 전혀 만나지도 못했잖아. 타마키, 외로웠단 말이야…

쫑알 쫑알

하고 말이지…

놀 생각만…

타마키는 오늘 노래 레슨 하려고 여기 온 거잖아?

라이브도 얼마 안 남은 것 같으니까… 타마키도 프로라면 할 건 제대로 해야지

어… 외, 외롭다고? 그랬어?

…조금 전에 들은 이야기인데, 가까운 시일 내에 또, 「Brand New Song」 공연에서 아이돌 몇 명의 솔로곡을 처음으로 공개할 예정이래요

피식

ㅋㅎㅎㅎㅎ

응! 약속!

그럼… 레슨 끝난 다음에 조금만 이다.

타마키~! 늦어서 미안해~! 앞에 일이 늦게 끝나서…

뭐야?!

오, 오래 기다리셨죠!

달칵

그 멤버가 여기 있는 오오가미 타마키랑… 아직 도착하지 않은 것 같은데, 노래를 아주 좋아하는 아이돌 야부키 카나에요

그리고 오늘, 두 사람의 라이브를 위한 노래 강사를 맡은 사람이—

아하...!

어머나...!

유리코랑 모모코까지 있네~! 웬일이야~?!

야부키 카나
KANA YABUKI

응, 물론이지. 내가 할 수 있는 게 있다면 뭐든지 말해줘

저기... 카오리 씨. 갑자기 죄송한데요, 오늘 레슨에 저희도 참가해도 될까요...?

다음 참가곡에 조금 신경 쓰이는 부분이 있어서...

에헤헤

폴짝

폴짝

일 끝나고 시간이 생겼는데... 다른 사람들 보고 싶어서 왔어

아~ 그렇구나~! 나도 보고 싶었어~!

랄라

다아~ 같이 레슨~♪ 정말 기뻐요 카나~♪

49

간다!

엣-

아으으, 얼굴에 맞았잖아~! 모모코, 괜찮아~?!

......

퍼

어푸

여

어, 어, 진짜로?! 타, 타마키, 미안해~! 각오해라~!

으아~! 치사해~!

카나 씨! 지금부터 둘이서 타마키를 같이 공격할 거니까!

그랬단 말이지...

화르륵

괜찮아. 힘이 됐다니 기쁘네

저, 저기… 카오리 씨. 오늘 정말 고맙습니다

공부가 많이 됐고… 그리고

그러게요… 레슨 끝난 지 얼마나 됐다고, 다들 힘이 넘치네요…!

후후, 애들 체력은 끝을 모르네요

와— 와—

푸근

저기… 사실은 오늘, 카오리 씨랑 얘기하고 싶어서 여기 왔거든요…

뭐…? 나랑?

—저기!

활짝

와— 와—

…얼마 전에, 코노미 씨한테 제6 공연 얘기를 조금 들었거든요…

엇

카… 카오리 씨는…!

무, 물론 다른 사람들 만나고 싶어서 왔다는 얘기도 거짓말은 아니고요…!

괜찮아… 얘기 해봐

그건 그걸 말이죠

허둥

지당

51

……!?

댄스에 자신이 없었던 거죠…?!

책임감이 강한 카오리 씨가 그렇게 생각해서 일단 솔로 라이브를 보류했었다고 들었어요…

냐아아…

평소에 공연처럼 제 차례가 한정된다면 모를까, 혼자서 여러 곡을 노래하고 춤까지 추다니…

특히 댄스가

가수로서의 무대와 아이돌로서의 무대는 달라요…

코노미 씨~~! 그걸 왜 얘기 했어요…!

아, 아니! 아무것도 아냐!

어라? 저, 저기… 왜 그러세요…?

어라?!

꾸물 꾸물

그래도 코노미 씨랑 다른 사람들이 설득해서, 그때부터 카오리 씨가 매일같이 필사적으로 연습 했―다고…

토크 하면서 카오리 씨가 아주 잠깐… 엄청 쓸쓸한 것처럼 보였는데

……!

그래서 얼마 전에 카오리 씨가 나온 음악 방송을 보고…

「허밍 버드」는 정말 훌륭하다고, 감동했어요

사… 사실은 저도… 저 같은 것도 똑같다고 하면 실례가 되겠지만, 계속 댄스에 자신이 없어서 왠지 댄스에 친근하다는 생각이 들었거든요…

다른 사람들이 기대하는 무언가에 대답하기 위해서 필사적으로 노력하는 건지도 모른다고… 그런 생각이 들어서…!

…혹시 카오리 씨는 지금도…

저 같은 게 건방지다고도 생각하지만…!

마… 만약에 그렇다고 해도, 필사적으로 노력하겠다고 결심한 카오리 씨를 두고 이런 생각을 하는 자체가 실례라고 생각하지만…!

그래서 전…! 죄송해요…!

유리코…

53

뭔가…
뭐든지
좋으니까…
만약에 지금
카오리 씨가
힘들다면…

그래도
전…

힘이 되고
싶어서…!

…댄스에 자신이 없어서
솔로 라이브 얘기를 일단
보류했던 건 사실이야.

그런데 코노미 씨…
그 이상 자세한 얘기는
안 했구나.

하지만 그것보다,
지금 내가 이 아이…
유리코한테 해줘야
할 말은—

…
걱정해줘서
고마워
유리코

나

하지만, 잘 들어봐

사실은 그렇게 고민하진 않아

끌꺽…

사아아아…

예?

그게… 얼굴에 드러나다니, 내가 잘못했네…

그런데 유리코

그때… 처음으로 프로듀서 씨랑 얘기했을 때, 내가 꿈꿨던 건 가수가 아니라 아이돌 이었으니까

난 가끔씩 아이돌이 아니라 가수로 봐주는 때가 있으니 까… 그게 좀 아쉽다고 생각할 때가 있거든

분명히… 유리코가 말한 대로 그 음악 방송에서 잠깐… 그런 생각을 했을지도 몰라

노래도 아이돌의 중요한 일 중에 하나니까…

무엇보다 어릴 적부터 계속 같이 키워온 내 노래를, 그만큼 높게 평가해준다는 뜻이잖아!

불만이라고 할 정도는 아니거든?

…그럼 카오리 씨, 지금은 딱히 걱정 하는 게 없고…

괜, 괜찮은 건가요 …?

소중한 모두가 날 좋아해 주는… 지금 이상의 환경은, 그리 쉽게 찾지 못할 거야

오늘처럼… 아이돌이 되면 다시는 못 할 거라고 생각했던 노래 선생님 일도 했고

아… 그, 그러시군요 …

그러니까 나, 뭔가… 이것저것 단숨에 말해 버렸지만

응

나, 지금 정말 행복해

파아

아아아

56

타닥

유리코?!
무슨
소리야…

그그그그러셨군요.
죄송해요. 저 혼자
너무 깊이 생각하다
오버했네요.
카오리 씨가
괜찮다니 다행이네요.
아, 그렇지 전
지금부터 여행을
떠나야 하니까
이만 실례할 게요…

무지
창피한 거
아냐…?!

다행이지만 근데 그거고 이것고

이거…

아무 일도 없어서 정말 다행이다

꺄악

미끌

저, 정말
왜 그러는
거야. 잠깐
기다—

까악!

팬찮아요!
오늘의 저는
그래요…
겨울이 낳은 환상.
눈과 함께
사라질
운명이에요.

잊어주세요.
저에 대한 건,
전부.

유리코
위험해!!

털
썩

…얼굴이 이렇게 빨개져서…

날 그렇게까지 생각해 줬구나…

지금까지 얘기해본 적은 별로 없지만… 오늘 이거 하나는 알았어

그런 소리 하지 마

저, 창피해요… 이런 제가 너무 싫어요

꼬옥…

망상이 과했을 뿐이에요. 현실은 항상 제 상상이랑 전혀 다르고…

나… 유리코의 그런 따뜻한 마음을 알게 돼서 너무 기뻐

그러 니까…

상대의 마음을 생각해서 다가가고, 도움이 되기 위해서 행동하는… 마음을 실현하는 힘이 있는 사람

유리코는 남의 마음을 상상할 수 있는 사람

지금까지도, 앞으로도…

네 상상력에 도움을 받는 사람들이 아주 많을 거야

고마워

—그 순간 저는…

살랑…

카오리 씨에 대한 애매하고 불확실했던 기분도…

저를 둘러싸고 있던 쓸데없는 것들을 전부 잊어 버리고

넘겨 짚었다가 틀린 데 대한 부끄러움도

달아오른 뺨을 찌르는 것 같은 겨울 공기의 차가움도

이 빛나는 세상 속에 저 혼자서 …

제멋대로 상상한 게 아닌
진짜 카오리 씨도 역시나
이렇게 멋진 사람이고

저는 이 사람을
정말 좋아한다고...

확실하고 분명하게
동경하는 기분만을
이 가슴에 품고
있었습니다.

탁
탁

저─기

뭐어?!
그,
그건
좀...

어...
언니 님
이라고
불러도
될까요...

카오리
언니
님...

응?

소곤...

님...

그런데
유리코

그
뒤에...

탁
탁

불만은 없다고 했지만… 지금의 나한테 완전히 만족한 것도 아니야

나도 좀 더… 이런 아이돌이 되고 싶다는 이상이 있어

그야말로 코노미 씨나 유리코 같은

예…?

나… 나중에 프로듀서 씨한테 이 기분을 얘기해볼게!

오늘 유리코랑 얘기하면서 용기를 얻었어

…예!

꼬옥

♪Fleurs♪
다 같이 눈 놀이하고
놀았어요♡♡

띠링

치사해!

궁

쿠구구

S-THEATER

자박

그래서

나만
빼놓고
자기들끼리
신나게
놀고
말이야~!

오늘은
솔로
일이라서
어쩔 수
없지만
...

극장에
와버렸네

메시지는
조금 전에
왔으니까,
다들 아직
있겠지

…응?
저기서
얘기하는
사람…

카오리랑
프로듀서?

……?
내가 왜
숨어야
하는거지

코노미 언니의
머릿속

포옹

포옹

둘이서
무슨 얘기
하는지
궁금하지
않아?

그치,
뭔가
수상하지

뭉게

뭉게

오오가미 타마키
TAMAKI OGAMI

웃는 얼굴과 활기가 넘쳐는, 발랄한 개구쟁이 소녀입니다.

운동과 장난치는 걸 아주 좋아하고, 벌레 잡기와 탐험 같은 남자애 같은
놀이에 흥미진진하지만, 예쁜 얼굴을 가진 미소녀고,
감정에 따라 계속 바뀌는 표정이 사랑스럽다고 생각합니다.
특히 여자다운 옷을 입혔을 때 부끄러워하는 표정이…
평소와 갭이 느껴지면서 정말 귀엽죠….

계속 시골 마을에서 살았던 탓에 또래 아이들이 없어서 외로워하기도 했지만,
극장에 온 지금은 항상 타마키 곁에 다른 사람들이 있습니다.
동료들과 응원해주는 팬들과 함께, 타마키는 오늘도 힘차게 열심히 하고 있습니다!

다음 편은 타마키와 카나의 BNS 공연, 그리고 유리코와의 대화를 겪고
새로운 한 걸음을 내디디기로 결심한 카오리 씨 이야기입니다.
기대해주세요!

Written by ima

여기가
765프로
라이브
극장…

우리가
여기서
아이돌이
되는
거군요…!

우와…!

…39
프로젝트도
이제야 겨우
본격적으로
시동하게
됐습니다

예. 다른
후보생들은
이미 어느 정도
얼굴도 익혔고,
레슨을 시작한
사람도
있습니다

…저희가
제일
마지막
이었군요

분명히
마지막이기는
하지만…
다들 같은 뜻을
지닌 데다 성격도
좋은 사람들이니까,
금방 친해질
겁니다

두 분이
와주셔서
정말
다행이
네요
…

아…
예!

두근두근

…하지만,
나는 어른.
젊은 애들을
따라잡기 위해서
누구보다
노력해야겠지

…열심히
해요!
츠무기!

두근두근

시라이시 츠무기
TSUMUGI SHIRAISHI

물론 그게 불만이라는 건 아니에요. 그만큼 많은 분들이 제 노래를 사랑해주신다는 뜻이니까… 오히려 자랑스러울 정도예요

…제6 공연부터 저는 솔로 보컬리스트로 활동하는 기회가 많았고…

그 탓인지, 가끔씩 저를 아이돌이 아니라 가수로 봐주는 분들도 있었어요

그리고 그 날 … 처음 극장에 왔을 때, 당신이 저희한테 해줬던 약속에 대해서도.

…그런데 오늘 유리코가 생각나게 해줬어요

누군가를 배려하는 마음의 소중함, 동료들과 어울렸을 때 생겨나는 마음속 따뜻함…

제18화 노래가 자아내는 세계

—그러니까 프로듀서님

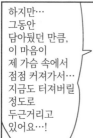

하지만… 그동안 담아뒀던 만큼, 이 마음이 제 가슴 속에서 점점 커져가서… 지금도 터져버릴 정도로 두근거리고 있어요…!

…물론 여러 사정이 있다는 것도 알아요

절 이렇게 만든 책임…

쥴쥴

쥴쥴

져 주실 거죠…?

채… 책임이라니 …?!

그거, 한마디로…

삐약

두근 두근 두근 두근 두근 두근

이젠 저와 카오리 씨 둘만의 문제가 아니니까요

제게는 (프로듀서로서) 당신의 (아이돌) 인생을 지킬 의무가 있습니다

앞으로는 책임지고 장래를 위해서 온 힘을 다하겠습니다

!?

…아냐, 성급하게 생각하면 안 돼. 솔직히 카오리도 프로듀서도, 이런 얘기는 한 번도…

…알겠습니다!

후―…

결혼!!!

이… 이건 틀림없었어!

이건, 정말로…

거랑 카오리 씨 둘만의 문제가 아니라고!?

두근

핫… 핫…

…나도 모르게 도망쳤네

탁

지금 당장 이뤄드리기는 힘들지만… 그런 방향으로 생각해보겠습니다

그러면 일단 카오리 씨의 새로운 이미지를 만들기 위해, 이번 공연에서… 오늘 막 도착한 ―…

대체 뭐냐고!

그 녀석

뭐… 두 사람의 중요한 이야기를 엿들은 게 잘못이야

그래도 말이야…

껴잉…

카오리는 지금 한참 궤도에 오른 아이돌인데, 하필이면 프로듀서 본인이랑 좋은 관계가 되다니 말이야…!

그나저나 나한테도 얘기를 하라고, 정말이지!

나한테는 일밖에 모른다는 것처럼 말하더니…!

솔직히 아이돌이랑 프로듀서 잖아?!

부웅부웅부웅부웅

다음 날

765 LIV

…그렇게 돼서

…카오리 한테 미안한 짓 했네…

벅벅

아 저기 있다!

코노미 씨—!

…아~ 진짜…

참고로! 언니... 카오리 씨는 원래 다음 BNS 공연에 서포트로 참가하게 되었습니다.

코노미 씨랑 같이 라이브 하다니...! 정말 기뻐요 ♪

!
...으, 응 그래. 열심히 하자...

잘 부탁할게!

저희 「FleurS」도 다음 공연에 게스트로 참가하게 됐습니다!

두 사람이 신세 많이 진 것 같으니까

와아

짝짝짝짝짝짝!

영차

후훗훗 쿠훗♪

모모코 네가 참가 하니까, 이번 공연은 성공한 거나 마찬가지야 ♪

모모코, 열심히 하자

......?

자! 준비준비...

흐다닥

저... 저기 유리코 ~...

......

?

홱

72

…모모코 한테는 코노미 씨가 어색하게 굴고, 카오리 씨가 곤란해하는 것처럼 보이는데

…그런데, 왠~지 말이야

역시 그렇게 생각했어? 사실은 우리도…

오늘 코노미 씨랑 카오리 씨, 뭔가 이상하지 않아~? 어색한 것 같다고 할까~…

……

…그런데 카오리씨, 기껏 코노미 씨랑 같이 공연하게 됐는데…

일단! 지금은 눈앞에 닥친 공연에 전념하자

짜악

얘기는 라이브 끝난 다음에!

솔직히 모모코네가 게스트로 참가하게 된 것도 코노미 씨 제안이니까… 싸웠을 리가 없잖아

이번에는 걱정 안 해도 될 것 같아…

그건 제가…

괜찮아!

슥

빙글

좋았어! 그럼 먼저 타마키 차례!

다들 잘 봐줘♪

…라이브 끝난 다음에!…라니

타악

다!

「Brand New Song」
공연 당일!

「탐험 모험☆하이호-대」

우오오오!

저릿저릿

우와…!

보세요
카오리 씨!
타마키가
정말
귀여워요!

뭐?!
으… 응
그러네!
열심히
응원
해야겠다
…

깜짝!!

안절부절

역시 코노미 씨 때문인가… 오늘도 거의 말도 안 했던 것 같은데…

…잠깐, 카나 씨!

두리번 두리번

…카오리 씨, 평소 같으면 타마키가 노래할 때 생글생글 웃었는데…

……

카나 씨를 위해서 열심히 해준 사람들도 많으니까… 더 집중해줘

…모모코는 마지막 며칠밖에 못 봤지만, 지금까지 연습한 건 지금 이 순간을 위해서잖아?

모, 모모코…

또 딴생각 하고 있지. 쓸데없는 걱정 할 여유가 있는 거야?

튼튼…

…그래.

꽉…!

유리코 씨는 너무 물러! 카나 씨처럼 튼튼한 사람한테는 이 정도는 해줘야 해

미, 미안해 카나. 모모코가 가끔씩 깐깐 하거든…

노래를 좋아하는 마음과 튼튼함이 유일한 장점…

그게 나! 야부키 카나!

항상 야단만 맞는 그런 나지만…

발이 걸려 넘어져도 비를 맞아도, 마음만은 절대로 꺾이지 않아

아하하…

기합 들어갔지

그치?

우오?!

저돌 맹진

맹맹진

그리고…!

오오옷

난 동시에 여러 가지를 생각할 재주는 없으니까…

그렇다면… 이런 나를 위해서 열심히 해준 사람들을 위해…

후와~

예~?! 그래도 지난번 솔로 라이브도··· 그렇게 화제가 됐는데

카, 카나? 난 전혀 대단하지 않은데···?

에, 에헤헤···♪ 카오리 씨처럼 대단한 분이 그렇게 말씀해 주시다니~

그때 카나는 누구에게도 지지 않는 빛나는 목소리를 지닌 아이돌이 될 거야. ···내가 보장할게

···노력해온 시간은 절대 배신하지 않아. 네 재능이 꽃피는 날이, 언젠가 꼭 찾아올 테니까

토옥

코노미 씨를 진심으로 존경하는 마음이 느껴졌어···!

그때 카오리 씨, 조금 창피해 보이면서도··· 정말 기뻐 보였고···

그, 그래서 ···!

콰앙!

···솔로 라이브 때도 엄청 고민만 했어

그런데! 그런 때 코노미 씨가···

누구보다··· 코노미 씨가 봐줬으면 싶었던 게 아닌가요?!

이 뒤에 공개할 카오리 씨 신곡도, 사실은···

저희 노래가 끝날 때까지 꼭 화해하세요

약속이에요!

꼬옥

...라이브가 끝날 때까지 기다리면 안 돼요

다음은 저랑 타마키 듀엣... 그 뒤에 카오리 씨 차례

와아아아.....!

기억 나세요...? 제가 제6 공연 솔로 라이브 건으로 고민하던 때, 옥상에서 했던 얘기…

...! 카, 카오리

...코노미 씨

와 와

...최근 몇 달 동안 활동한 경험을 바탕으로, 지금의 제가 뭘 할 수 있고 뭘 못 하는지… 알고 있어요.

—왜 그렇게 불안해하는 거야? 솔로 가수로 무대 경험도 있으니까, 내 생각엔 괜찮을 것 같은데…

...가수로서의 무대와 아이돌로서의 무대는 전혀 달라요…

지금의 제 댄스 실력으로는, 프로듀서 님 기대에 보답할 자신이 없어요…

평소에 하던 공연처럼 분량이 한정된다면 또 모를까… 한 번 공연에서 몇 곡이나, 혼자서 노래하고 춤추는 건…

정말 어렵고… 정말 훌륭한 것이에요

까악 까악

노래와 댄스는 떼놓을 수 없고… 봐주는 분들과의 상호 교류를 통해서 완성되는 것이 아이돌의 무대

하지만… 프로듀서도 완벽한 무대는 바라지 않을 거야

…그래. 분명히 우리는 책임감을 가져야 해 그게 어른 이니까…

그, 그야… 그게 당연한 거잖아요 …!

…무대 하나하나를 다 완벽하게 해내야 한다고 생각하는 구나

응. 걔도 댄스에 자신이 없어서 고민했거든… 뭐, 나도 잘난 척 말할 처지는 아니지만…

유, 유리코 …?

…!!

…후훗

솔직히 말해서, 걔 댄스는 아직도 한참 멀었어

미안해. 왠지 유리코가 생각나서

83

아이돌한테 중요한 건 완벽한 무대가 아니라, 지금 가진 실력을 전부 보여주는 것! …난 그렇게 생각해

― 그러니까!

팬들은 그 아이의 열심히 노력하는 모습, 그리고 그 아이의 성장을 보면서 기뻐하고… 나랑 모모코도 유리코가 그런 애라서 정말, 정말로 좋아하고 있어

그래도 항상 열심히 노력해서, 조금씩이지만 성장하고 있어

…제 안에 있는 이래야만 한다는 생각이 자꾸 안 된다고 하지만…

솔로 라이브, 사실은… 하고 싶지?

그런데 이상을 향해 나아가는 도중에… 거기서 생겨나는 무언가도, 사람들의 마음을 강하게 사로잡는다고 생각해서

…카오리 생각은 잘못되지 않았고, 정말 훌륭한 거야.

그때 코노미 씨가 해준 말에, 제가 얼마나 큰 용기를 받았는지…!

그래서… 그래서 저는…!

…꼴깍

…괜찮아, 카오리

누구보다 진지한 너라면, 모두가 사랑하는 아이돌이, 꼭 될 거야

꼭

미… 미안해 카오리…! 그럴 생각은 아니었어. 넌 하나도 잘못한 게 없어

다음 스테이지도 제대로 볼 거니까… 얘기는 나중에 하면 안 될까? 이제 시간이—

꼭 지금이여야 해요!

전… 코노미 씨한테 지금의 성장한 모습을 보여주고 싶어요!

어째서 눈을 보고 말해주지 않는 거죠? 제가… 뭔가 코노미 씨 마음에 상처라도…!

여기까지 왔으면… 이런 어정쩡한 마음으로 무대에 설 수는 없어요…!

두근… 두근…

카나랑 약속 했어요…

그리고 저는 다음 무대에서 유리코랑 모모코… 코노미 씨의 소중한 아이들을 맡게 돼요.

화악

—미안해!

나… 나 말이야…!

탐막
카나…!

……

… 그렇구나

와아아

몰랐다고는 해도 그게 미안해서… 어떤 얼굴로 대해야 좋을지 모르겠더라고

…예??

?

나, 요즘 카오리 소중한 사람이랑 가끔씩 술 마시고 있었어…!

숨기지 않아도 돼… 난 다 아니까

제 소중한 사람… 이요? 전 그렇게 생각한 특별한 분이 없는데…

자, 잠깐만요. 그러니까…

와아아…!

?

그러니까 뭐라고 하지 마. 그쪽은 그냥 내가 술을 좋아하니까 어쩔 수 없이…

무, 물론 데이트라고 할 정도는 아니고, 특별한 일도 하나도 없었거든? 하나도…

※ 카오리 씨

?!!?X □△…!? !!?

푸흡

프로듀서랑

결혼할 거지?

86

코… 코노미 씨… 어떻게… 하면… 그런 생각을…?!

어… 왜 그거, 얼마 전에…

너무 황당해서 웃음이 터지려는 중

……!

……!?

…카, 카오리?

부들부들

설명중… ○

결혼이라니 저한테는 아직 일러요 …!

그때 한 얘기는 이런저런 내용 이었고…

책임이라는 말을 하긴 했지만, 그런 뜻이 아니라…

뭐, 뭐야 …?!

—아니 거든요!

뭐?! 아니었어?!

아…

뭐야 이거…? 나 혼자 넘겨짚고, 착각했나…

정말
이지~~!

슥

......

하아...

으아~
나...
대체
뭐래...!

미안해!
저저저저,
정말
미안해!

코노미
씨가 저
미워하는 줄
알았잖아요~!

꼬옥

무슨 일이
있어도
싫어하지
않아

정말
좋아해,
카오리

그래
그래

정말
미안해

네가
항상
진지하게
노력하고...

다른 사람을
소중히 여기는
정말 좋은
사람이라는 걸,
난 알고
있으니까...

......

넘겨 짚기호 → 에취!

…? 무슨 소리 예요?

같은 유닛으로 활동하다 보면 닮는 건가…

와아

고마워요~!

…후, 후후. 그래도 뭔가 웃긴다…!

정말 너무나 시시한 이야기…

오오 오…

…용기 내서 말하고 전부 해결하니까, 작은 착각이 거듭된

…그런데 대체 왤까. 지금 내 마음은, 지금까지 인생에서 최고로 맑고 개운해

톡

!

씨익

화아아아아아아

카오리 씨

힐끗

89

이 극장에 있는
아이돌 대부분은
나보다
훨씬 어릴 텐데…
항상 나한테
큰 힘을 줘

나도 몰랐던,
새로운
내 마음을
찾게 해줘

그리고 유리코

또, 정말 많고 많은…

…카나

난…
이 극장에
오길 정말
잘 했어

노래 선생님을 할
기회가 많아서인지,
그냥 나이가
많아서인지…
다들 나를 정말
잘 따르지만…

나야말로
매일매일,
모두한테
소중한 것들을
배우고 있어

…그리고
코노미 씨,
지켜봐
주세요

모두와 함께 만들어가는
이 무대에서 이번에야말로
내가 바라는 아이돌을
향해 한걸음
내디딜 거야

90

동료가 있을 때
비로소 그려낼 수
있는…
제가 자아내는
이 세상을

다른 누구도
아닌,
저 자신이
시작한
이 여로를…

——Sing is, Life is Journey

——결코
완벽하지는
않지만…

오선 위——…

이번에야말로,
혼자가 아닌
지금의 내 모습을…!

Shining sound of me for you……!

랄라라~♪
왠지 더 노래하고 싶은 기분이야~

크흐흐~♪
타마키도~♪

라이브가 끝나고—

아… 그, 그거?
그런 거지 뭐…
전부 착각이었지만!
너희까지 끌어들여서
미안해…

여럿모로 준비도 했어…

그, 그럼
게스트로
참가하자고
했던 것도 언니…
카오리 씨 부담을
줄여주기 위한
거였구나…

뭐…
괜찮지만.
(타마키랑
노래해서)
모모코도
재미있었고

끄덕

…
흐~~~응?
그런 일이
있었구나

끄덕끄덕

카오리

아.
좋네요!
그러면
말이죠…

저기 저기
유리코!
우리 같이
노래방
갈래!?

…
코노미
씨

괜찮아
괜찮지만

입잖아.

……

그런
눈으로
보지 마…
나도
아니까…

반히…

94

저… 이번 공연을 마치고, 좀 더 자신에게 솔직해졌다고 할까… 욕심이 생긴 것 같아요.

예! 프로듀서 님한테는 아주 조금 말했지만…

욕심?

그래도 동료들과 같이 하나의 무대를 만들어가는 이런 기쁨을 알아버렸으니까…! 이번에야말로, 제 마음은 그걸로 가득 채워져 버렸어요♪

역시 저도… 코노미 씨네처럼 되고 싶다고…!

저도…

그 말은…

!

나누자!

응

유닛 활동을 하고 싶어졌어요…!

…하지만 그 기쁨은 나 혼자 것이 아니야

내가 품고 있는 이 꿈을, 당신도 공유해줄 테니까…

…그렇죠?

모 전철역

그러네요… 이 앞은 극장이 있는 곳

오늘 무대도 정말 훌륭했다는 뜻이겠죠…!

…아뇨

그냥… 길가는 사람들이 전부 웃는 얼굴이라서…

……

…저, 저기, 아까부터 딴생각 하는 것 같은데… 무슨 일 있나요?

츠무기 씨

…

예!

저희도 신춘 공연을 위해 열심히 해야겠죠…

가요, 에밀리 씨

……

에밀리
EMILY STEWART

척!

빅

뭐?!

아, 정말… 대체 뭐야…!

아, 아니에요. 그쪽은 반대 방향이에요…!

츠무기 씨, 츠무기 씨…!

야부키 카나
KANA YABUKI

마음이 이끄는 대로 뭐든지 허밍! 노래를 사랑하는 아이돌입니다.

살짝 덜렁대는 소녀고, 어릴 적부터 노래를 정말 좋아했는데,
아쉽게도 살짝 음치였다나봅니다….
하지만 본인도 그걸 알고 있어서, 항상 열심히 연습하는 노력가입니다.

참고로 이번에 「여러 가지를 생각할 재주는 없으니까」라는 대사가 들어갔는데,
그건 정신적인 부분에 관한 이야기일 뿐이고, 연습하면 줄타기도 할 수 있고
그림도 잘 그리고 악기도 잘 다루는 등등 재주가 많은 측면도 있있습니다.
카오리 씨도 말한 것처럼 좋아하는 노래에서도 그 재능이 꽃피울 날이 오겠죠! 틀림없이…!

그렇게 해서,
다음 편에서는 마지막 페이지에
등장한 두 사람을 중심으로 그리는
서브 스토리가 될 예정입니다.
사실은 전전편부터 살짝,
또 하나의 유닛 편에 들어가 있었습니다.

여러 이야기가 움직일 테니까,
앞으로도 모두의 활약을 기대해주세요!

Written by ima

…그렇게 해서… 이것이 새해 첫 극장 공연, 「신춘 공연」의 개요다

둘 다 특별한 문제는 없겠지?

예!

「신춘 공연」
참가자 츠무기
라이시 스튜어트 모카

츠무기 씨! 잘 부탁 드려요!

새해 첫 공연에서 전통 의상을 입고 신곡을 피로할 수 있다니…! 꿈만 같아요♪

아, 예…!

이 공연 말인데… 너한테 한 가지 부탁할 게 있어.

찰칵

…츠무기, 잠깐 괜찮을까

……

제19화 그 손끝이 말하는 것

어…
아, 스

왜 그래?
한숨을
다 쉬고

하아…

안녕

스오 씨?

털덜터덜…

꾸벅

…요즘
보는
사람마다
그러더
라고

안녕하세요.
극장에서
만나는 건
오랜만
이네요…

그러셨
군요…

아—
뭔가
있네

카나 씨네
다음 BNS
공연에
게스트로 참가
하게 됐거든

그래서
다 같이
레슨인데…
너무 일찍
와버렸어

스오 씨가
소속된
아이돌 유닛
「FleurS」

하지만 최근에는 숫자를 줄이고, 일 하나하나에 집중하면서 진행하는 쪽으로 방향을 바꿨다는 것 같습니다

결성한 뒤로 많은 오디션과 일들에 도전하는 중이고… 그래서 몇 달 동안은 극장에 거의 오질 않았습니다

그렇게 말하는 스오 씨는 어쩔 수 없다는 말투였지만, 그래도 어딘가 기뻐 보였습니다

분명 제가 모르는 곳에서 나나오 씨나 바바 씨하고 중요한 이야기를 써나갔겠죠…

후─ 이런 이런─

모모코는 일을 더 많이 해도 되는데 말이야…

뭐, 여러 일이 있어서

츠무기도 듣지만 하지 말고, 아까 한숨 쉰 이유 좀 말해봐. 불공평하잖아!

…사, 사실은…

…왠지 모모코만 말하고 있네

…신춘 공연은
에밀리 씨의
신곡을
공개하는
BNS
특별 공연
이기도 해요

저는,
프로듀서께서
연장자로서
에밀리 씨를
도와줬으면
한다는 부탁을
받아서,
같이 레슨도
받고 있었는데
…

끄덕

신춘
공연?

마실 것
가져오신 건가요?
그 세세한 배려…
역시 일본의
마음이네요!
많이 배웠어요!

자주 연습인가요?
연습 시간이
끝났는데도
열심히 하는
그 모습… 역시
대단해요

츠무기 씨
노래하는 모습이
정말 아름다워요…
단골손님 분들의
마음도 사로잡을
거예요!

그렇게 대단한건…

자신이 없어서…

가사
틀렸는데

그래서…
부담감
때문에
풀이
죽은 거야?

그런가…

저는 아직
그렇게까지
다른 사람의
본보기가
되는
인간이…

멋있을 때는 꽤나
있었는데

BNS 신춘공연

여
얘
안

으…

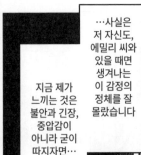

지금 제가
느끼는 것은
불안과 긴장,
중압감이
아니라 굳이
따지자면…

…사실은
저 자신도,
에밀리 씨와
있을 때면
생겨나는
이 감정의
정체를 잘
몰랐습니다

솔직히…
막 데뷔했을
무렵이라면
지금보다 더 깊이
생각했을 지도
모르지만…

그,
그런 건
아니…
라고
생각해요
…

봐,
토모카
씨도
이렇게—

맞아요~
신춘 공연에는
저도
참가하니까…
제대로 해주지
않으면
곤란하거
든요~?

츠무기 씨는
일단 좀 더
확실하게
말하는 게
좋을 것 같아

음

초조한 것
같은—

우후훗,
죄송해요
~♪

깜짝 놀랐잖아!

쿡쿡

—마츠리 씨도
그렇고 미야 씨도
그렇고…
토모카 씨네는
왜 그렇게 불쑥
나타나는
건데!

……!!
!?!?

왜

104

그러니까
츠무기
씨?

예. 최소한
저는 다음
신춘 공연이
끝나면,
당분간
극장에 올
여유가
없어질 것
같아요~

…유리코
씨한테
들었는데,
토모카 씨네
유닛도
내년부터
많이 바빠
진다면서.

…물론
이죠

이번 공연은
저한테도
중요한 공연
이에요…
츠무기 씨
활약에도
기대하고
있거든요~?

…그렇구나~
이건
생각보다
훨씬 귀찮고
복잡한
심경
이네요~

……?

에밀리 씨는
둘째 치고…
레슨은
제대로 받고
있어요

텐쿠바시 씨도
뭔가
불안한 점이
있다면 얘기해
주세요

절대 거만하지 않고… 끝까지 겸손한 그 여자, 그야말로 요조숙녀의 귀감이군요!

강적이다…

당연히 은근슬쩍 얘기를 해봤는데…

에밀리하고는 제대로 얘기 해보셨나요~?

…그럼 츠무기 씨, 이런 건 어떨까요

하지만…

우물우물

그, 그건 알고 있어요…

하지만… 그냥 그대로도 괜찮지 않을까? 진심으로 칭찬하는 거니까

데…?!

다음 쉬는 날, 에밀리랑 데이트 한다든지~?

팡

며칠
뒤…

MILLION GYM

…너무
일찍 왔군요

스티커
사진도
찍고,
서로 옷도
골라주고,
멋진
카페에서
차도
마시고…

생글생글

꼭 얘기를
통해서가
아니라,
그렇게
별 것 아닌
시간을
보내면서 서로
이해할 수
있는 것도
있기든♪

……응.
모모코도
그렇게
생각해
신춘
공연까지
아직 시간이
있는 것
같으니까…

...아, 알겠습니다

데이트라는 표현이 적절한지는 둘째 치고, 일단 권유해볼게요...

데이트라는 표현이 적절한지는 둘째 치고...

끄덕

나도...

후훗

스티커 사진같은...

그런데 왠지 의외다. 토모카 씨도 그런 거 하나 보네요

항상 같이 있는 사람들의 영향을 받았는지도 모르겠네~♪

큰일이네... 어디로 가야 하지...

...갑자기 말하면 에밀리 씨가 이상하게 생각하지 않을까...

두리번 두리번

이 ○×빌딩 이라는 곳에 가야 하는데… 건물들이 전부 비슷해서 잘 모르겠어

제가 도와 드려도 될까요?

어라…

약속 시간까지 아직 좀 남았으니까…

쩍

그런데, 가본 적이 있기는 해도 그때는 차 타고 갔었는데… 그래도 걱정할 필요는 없어요.

어머, 정말로?! 고마워라~ 정말 상냥한 아가씨네!

! 여기는 전에 오디션 받으러 간 적이 있어…

괜찮으시다면 제가 안내해 드릴게요

지도 앱 쓰는 법을 배웠습니다

카나자와에서 도쿄로 온 지 몇 달… 처음에는 복잡하고 시끄러워서 당황하기도 했지만, 저는 이미 이곳에서 살아가는 방법을 몸에 익혔습니다

스윽

그래요, 저는—

정~~말 고마워. 덕분에 살았어!

진짜까지 들어주고!

아, 아뇨… 별것도 아닌데요

……

고… 고맙습니다. 아직 무명이지만 일단은 아이돌입니다

그런데 아가씨… 참 곱게 생겼네. 어딘가 아우라도 있고… 혹시 연예인이야?

이 영차

지도 앱의 힘을 빌었어도 조금 헤맸지만… 그래도 어떻게 도착했습니다

어머나 아이돌! 참 좋네~!

이름은?

아우라…

기쁘다 ←

그럼 잘 가요!

아가씨, 이제 곧 크게 뜰 거야! 힘내!

시라이시 츠무기라고 합니다. 765 프로덕션에 소속된 신인이고…

나무코 프로덕션 시라이시 츠무기 양… 이라고! 응, 그래.

속속

저…
저기…

요하하

…길을
물어보고
싶지만
파출소도
안 보여

백
백

아무튼 지금은…
기억을 더듬어서
거기로 돌아가야…

이건 나중에
수리 맡기고…

여기…
이런 데
지나갔
던가…?!

이런
내가
너무
한심해…!

다
다
닥

좋은 일이
하나 있었다
싶었더니,
문제도
하나
생기고

마음대로
안 되네…
마음대로
안 돼….

―안냐…!

항… 하…

괜한 짓 하지 말고,
계속 거기서
기다렸다면…

왜냐하면,
에밀리 씨라면…
에밀리 씨가
꿈꾸는 그런
사람이라면――

그 할머니를 도와드린 건
결코 괜한 짓이 아니야

이 공연에서
츠무기가 제일
먼저 솔로곡을
피로했고,
연장자기도
하니까

경험과
마음가짐
양쪽 모두,
가까운
시점에서
조언해줄 수
있을 것 같아

에밀리 씨
서포트?

이런
정신상태
인데…

신기
하게도…
제 머릿속에는
어딘가
냉정한
부분이
있었습니다

타다다…

조금만
더 가면…

이 경치는
본 적이…
조금씩
가까워지고
있어…!

…저는—

그저
솔직하게,
답을 찾는
것만을
생각했던 것
같습니다

지금까지
인생을 통해서
제 안에
물들어 있던
체념 같은
복잡한 생각을
떨쳐내고…

나중에
생각해 보면
이때는
그저 필사적
이었고…
그랬기
때문에

초조… 선망… 같은 날 아이돌이 된 사람들이 점점 앞으로 나아가는 걸 보고, 저도 저렇게 되고 싶었습니다

저를 잘 따라주는 에밀리 씨의 올곧은 눈빛에 대답해줄 수 있는 제가 되고 싶었어요

더 아름답고 훌륭한 아이돌이 그런 사람이 되고 싶었어 …!

순박한 그 아이 앞에서 자랑스럽게 가슴을 펼 수 있는… 더…

혼자 남으면 금세 풀이 죽어버리는… 그런 내 껍질을 벗어던지고

지금은… 조금이라도 빨리…

―하지만, 지금은 그런 것보다…!

내 안에 이렇게나 뜨거운 감정이 있었다니…

…프로듀서, 당신은… 이 감정을 깨닫게 하려고 에밀리 씨를 저한테 맡긴 건가요…

이 때는 이미 약속 시간 에서…

응성행

역 까지는 도착했어… 하지만—

두 시간도 넘게 지나 있었습니다

차, 찾았다…!

아——!

⁉

이 사람들 속에서 어떻게… 그보다 아직 있을까…?!

허억

아까 토모카 씨가 걱정돼서 츠무기 씨한테 연락했다는 것 같은데, 전화를 안 받기에 에밀리한테 연락해서 사정을 물어봤고, 그래서 모모코도 같이 찾아달라는 연락이 왔고, 어제 라이브 끝나서 엄청나게 피곤했지만, 그래도 일단 시작한 거니까 유리코 씨랑 코노미 씨도 불러서…

뭐~?! 정말~~

따라와!

아~됐고! 귀찮으니까 이건 나중에!

…아무튼!

스, 스오 씨. 어째서 여기에?!

...츠무기 씨가 무사하니까 그걸로 됐어요

미안 해요…!

정말 미안해요… 한참 기다리게 해서…!

아, 아무튼 딴 데로 가요. 헤매는 동안에 조용하고 분위기 좋은 디저트 가게를 봤거든요

아…

꾸욱

저 두 사람 어디서 봤는데… TV였나?

연예인 인가

웅성 웅성

둘 다 예쁘…

웅질

타다닥

꼬옥

츠무기 씨!
츠무기 씨!
이 가게
메뉴 정말
훌륭
해요…!

뭘 골똘히
고민되네요…♪

말차맛
롤에
말차
아이스…

와~~~~~♪

사키

감

그리고
또 하나,
사과할
게…

앗…!

창피해…

죄,
죄송해요.
저 혼자
신이 나서…

아, 아뇨.
기뻐해
주셔서
다행
이네요

고,
고개
드세요

그런데
…
왜 그
이야기
를?

!

지금까지
계속,
제 말 때문에
복잡한
기분이셨죠…
전 그런 줄도
모르고…

죄송
해요

120

오늘 절 부른 이유, 츠무기 씨 생각… 츠무기 씨는 말로 잘 표현하지 못할 수도 있으니까

시간은 걸릴 수도 있겠지만 천천히, 있는 그대로의 츠무기 씨를 느껴줬으면 싶다고…

…아까, 토모카 씨랑 얘기 했어요

그러니까… 만나면 먼저, 사과부터 해야겠다고 생각 했어요 …

츠무기 씨는 연습하는 동안 절 위해 여러모로 신경을 써주셨는데, 전 츠무기 씨 마음은 생각도 못하고 혼자 잘난 것처럼…

… 기다리는 동안 계속 계속 생각 했어요

덴쿠바시 씨… 당신은 정말…

부끄러워…

……!

에밀리 씨를 돕는 것도, 조금 먼저 무대에 선 사람으로서 당연한 일이고

…에밀리 씨는 아무것도 잘못한 게 없어요

… 사과하지 마세요. 그건… 제 받아 들이는 방법 문제 예요

…그게 당연한 일이라고 생각 하니까 …

121

…바로 그게 제가 꿈꾸는 아리따운 여성의 존재 방식— 즉, 요조숙녀 라고

전통적인 사고를 소중히 여기며 누군가를 배려하고, 자기 할 일을 다 하기 위해 노력을 아끼지 않는 데다…

의식하지 않아도 고상하고 우아한 배려가 소행이나 행실에 드러난다

츠무기 씨… 전 이렇게 생각해요

…
츠무기 씨가 자기 자신을 어떻게 생각하는지, 저는 절대로 몰라요

그러니까 츠무기 씨는 역시 저에게 이상적인 여성이에요

하지만 저는, 그런 츠무기 씨가 정말 좋으니까…

에밀리 씨 당신은…

…저기

이… 아, 안 될… 까요?

있는 그대로의 제가 그런 말을 해주시는 건가요…

이 동경하는 마음을 계속 품고 싶어서…

제가 이렇게 한심한 걸 알면서도…

122

그저…

기뻐요…

돌릭
돌릭

저,
츠무기 씨
한테
물어보고
싶은 게 잔뜩
있는데…!
그게,
그러니까…!

저,
츠무기 씨랑
더 친해지고
싶어요!

오늘은
시간이 얼마
안 남았지만…
내일도 모레도
공연이 끝난
뒤에도!

WoW!

· · · · ·

제가
아이돌이
된 이유…
말인가요.
그건…

프로듀서가
권유해서…

츠무기 씨는
어째서
이 길을
선택
했나요?

123

언젠가 나도
아이돌이 돼서
이 프로그램에 나오고
이렇게 빛날 수 있으면
얼마나 좋을까…

어릴 적에 어떤
TV 프로그램을 보고
동경했어요.
커다란 무대에서
춤추고 노래하는
아이돌을

…그게,
아니네요.
그건 단순한
계기…
저는 꿈을
이루기
위해서 여기
왔어요

그러던 중에…

하지만 그게,
막연한 동경이
확실한 형태를
가지는 계기가
됐어요

그 시절의
저한테는,
그래요…
보석처럼
빛나는
소중한
말이었죠…

아버지 손님이었던
것 같아요.
너라면 아이돌이
될 수 있다고,
말씀해주셨죠

…물론,
어디까지나
인사치레 같은
말이었죠.
어린애한테
하는 빈 생각
없는 말…

파닥파닥

과…
관리자님이
말을 걸
때까지는
포기하고
있었나요
…?

아뇨…
그냥
어느샌가
제 분수를
깨달았을
뿐이에요

…최소한
꿈에서
깰 때
까지는

124

소심하고 낯을 가리고 사람 많은 곳이 싫은 저는 …화려한 뭔가는 못 한다고…

저하고는 사는 세상이 다르다… 그저 허무한 꿈일 뿐이라고

당연히 지금은… 그런 생각은 안 하니까요

…그런 표정 하지 마세요

마시었어요♥

그저… 아이돌이 된 지금 생각해 보면…

오래 기다리셨습니다

그, 그게, 업계에 들어와 보니 그 프로그램은 정말 엄청난 프로그램 이라고…

그렇게까지 대단한데는 아직…!

지, 지금 분위기에서 왜 그런 얘길 하는 거에요~…!

예에?!

그 프로그램에 나가는 게 얼마나 주제넘은 꿈인지 깨달았다고 할까요

예선을 돌파한 몇 개 팀이 아이돌 퍼포먼스를 선보여서 가장 뛰어난 사람을 결정하는 내용이고…

우승한 아이돌은 물론이고 그 프로그램에 출연하는 자체가 엄청난 영광… 거기에 나간 자체가 톱 아이돌이라고 인정받을 정도로

국내… 아니, 세계에서도 손꼽히는 톱 아이돌들의 축제였다고… 프로듀서께 들었어요

그런데… 그 프로그램 이름이 뭐였나요?

…하지만 지금은 프로그램 자체가 없어졌다나봐요 저희가 아이돌이 되기 한참 전에…

…그런 성대한 축제가 있었군요… 전 몰랐어요

그런데
그 이름이…

──…

지금부터
한참 뒤에…
저와 에밀리 씨,
스오 씨와
텐쿠바시 씨
까지
끌어들여서

현재
톱 아이돌을
노리는 사람,
앞으로
톱 아이돌이
되겠다고
결의한 사람…

그리고
아이돌과
관계된 모든
사람들에게
영향을 미칠
정도로
큰 존재가
될 거라고

그래요,
그 프로그램
이름이,
분명히─

……아리나

…그때의
저는
상상도
못 했습
니다

얼티밋 라이브 아리나
『ULA』

…전설의 프로그램이 딱 한 번 부활…

툭

데뷔 1년차에 도전하기에는 너무 부담될 것 같단 말이야

그리고 올스타즈는 물론이고 신인 아이돌 에게도… 고마운 얘기이긴 한데—

이걸 어떻게 할까…

765 프로덕션 님

특별 프로그램
『ULA(얼티밋 라이브 아리나)』
예선 오디션 안내

사쿠라 TV

시라이시 츠무기
TSUMUGI SHIRAISHI

살짝 지레짐작하는 경향?이 있지만 아주 성실한 여고생 아이돌입니다.

카나자와에 있는 포목점 딸이고, 우연히 만난 프로듀서가 소질을 알아본 덕분에
아이돌의 길을 걷게 됐습니다.
자신감이 없고 쑥스러움이 많은 일면도 있지만,
연예계 활동에 대해서는 항상 진지하고, 자기 책임을 다하기 위해 열심히 하는 노력파입니다.
하지만 어째선지 프로듀서의 말만은 솔직하게 받아들이지 못할 때도 있는 것 같은데…
물론 싫어하는 건 아니고, 뭔가 다른 뜻이 있는 건 아닐까? 라고,
진지하게 생각할 뿐이니까, 천천히 서로를 이해하도록 하세요!

참고로… 이번에 그려진 츠무기의 어린 시절 이야기는
기본적으로 게임 설정에 따른 것입니다만,
「ULA를 보고 막연하게 동경했다」는 부분만은
이 작품의 독자적인 설정입니다.
『ULA(얼티밋 라이브 아리나)』는 GREE 판 밀리언 라이브! 에
나오는 아이돌의 제전이며, 이 만화에서도 아이돌들의
커다란 목표로서, 츠무기는 물론이고 주인공
유리코 일행의 아이돌 활동에도
크나큰 영향을 미치게 됩니다.
하지만 본격적으로 관여하는 건 앞으로
한참 뒤의 일이니까… 일단 다음 편!
츠무기네의 신춘 공연을 기대해주세요!!

Written by ima

그 시절처럼, 그 사람과 같이 웃는… 그걸 위한 한 걸음을 내디딜 수 있어

오늘 이 신춘 공연을 제대로 해낸다면, 난 앞으로 나아갈 수 있어

…아뇨

지금은 아니야 …!

가볼까요

그런 어렴풋한 예감이 들었습니다

카오리 씨!
이쪽이에요
…!

후다다닥…

끼이이…

꾹!

아,
예…!

첫 번째
곡은 끝났나
보네요…

하, 하지만
솔로곡은
지금부터
시작하나봐요!
보세요,
에밀리가…

…아…
결국 늦은
걸까요
…

와아아!!

짝짝 짝
짝…!!

「꽃의 가락」

어… 어떻게 그걸…?!

우후훗, 여신 한테는 숨길 수 없답니다~♪

짝짝, 짝짝…!

!!

… 그런데 츠무기 씨

프로듀서 씨하고는 제대로 얘기했나요~?

후원자 여러분~!

그래, 그건;… 사쿠라모리 씨만큼이나, 내 마음 속에서 걸리던 일이고……

Wow!

간식 사왔어!

에밀리랑 얘기하고 마음속 망설임은 풀린 것 같은데…

프로듀서 하고도 뭔가 얘기할 게 있는 게 아닐까요?

아…

(팅팅) 와아아아 ww!

에밀리!

짝짝짝 짝 짝짝짝…!

…저, 저기! 저는…!

앗

감사합니다! 에헤헤… 저, 저기, 그러면—

그ㅡ래! 최고ㅡ!

「꽃의 가락」을 들려드렸습니다! 즐거우셨나요~?

오늘… 이 무대를… 평생 못 잊을 거예요…!

이 추억을 가슴에 품고… 앞으로도… 훌륭한 요조숙녀가 되기 위해… 정진하겠습니다…!

여, 여러분의 성원도… 지금도… 정말 따뜻하고…! 기뻐서… 훌쩍… 최고… 최고의 추억이 됐어요!

그러니까 저… 그게… 오

여러분…!

설날에… 좋아하는 전통 의상을 입고… 제 첫 개인 곡을 피로하다니… 정말 감개무량하고… 꿈만 같고…!

와하하…!

저, 저기! 마지막으로 하나만 더! 후원자 여러분~!

다시 말씀 드립니다…

제제제가 무슨 짓을~…! 저저 정말 죄송합니다!

……!!!

… 끝나는 인사… 같은데?

오늘은 이렇게 와주셔서…! 정말로 감사ㅡ….

어?

신춘 공연은 아직! 아직 더 계속되니까요! 계속해서 즐겨주세요~!

아으으으… 차, 창피해~….!

복 많이 받으세요!

새해!

아아!

와아

축하해요

와아아아…

오늘, 츠무기 씨 곡을 제대로 부르기 위해서라도…

지금 말해두는 게 좋을 것 같아요~

…아, 알겠습니다…

다음은 내 차례.

다음…?

예

…아직은 그냥 예감일 뿐이지만…

짝짝짝

에밀리!!

그럼 다음에는 언니다운 모습을 보여주세요~♪

전에도…

…그런데, 왠지 쑥스럽네요

제가 연장자인데, 이번에는 조언을 듣기만 해서…

소근소근

...!

...!

또, 이 셋이서 활동할 기회가 있을 것 같거든요 ♪

...프, 프로듀서!

끄덕

괜찮을 까요...

잠깐...

와아아아아 ⋯ ⋯!

왜, 왜 그래? 갑자기...

하, 하지만 ...앞으로는, 그... 조금이나마 솔직하게... 당신 말을 들을까 하고...

주물...

사람 부를거에요

...생각해 보면 저는, 처음 만났을 때 당신 인상이 계속 남아서 ... 매번 뭔가 다른 꿍꿍이가 있는 게 아닐까...? 라고 생각했던 것 같기도 해요

어, 어쩌면…
앞으로 당신에
대한 심증이
돌아올 지도
모르니까…

오히려
말하려면…
지금뿐이에요

…지금…
'이런저런'…
말을
해주셔도…
돼요

…자신감을
가지라고
했었지.
역시 내가
할 말은
그걸로
충분해

그런 뻔한
위로하는
말로…?!

위로
같은 게
아냐.
왜냐하면
…

넌 아직
자기
포텐셜을
파악하지
못했어

하지만
내가 말해주는 것
보다, 에밀리와
같이 행동
하면서
깨닫는
부분도
있을 것
같아

……!

…아
아
…

츠무기한테는
아이돌의
재능도 있고
그걸 꽃피울
만큼 노력도
해왔다는 걸,
난 잘 알고
있으니까!

그것만
있으면
넌 누구보다
아름답게,
최고로
빛날 수
있어

크흠

…후후, 그래요…

그럼, 지금은 일단 속은 셈 치고…

프로듀서, 사실 저는…

와아아아…!
짝짝 짝짝…
토모카님…!

지금만은 솔직하게 들어줄 거지?

말은 하기 나름이군요. 왠지… 여우한테 홀린 기분 이에요

어째서 당신의 말이 항상 제 마음을 술렁이게 하는지… 지금, 조금이지만 알 것 같아요

당신이 주신… 제 새로운 곡의 선율에 실어서…!

—지금부터, 당신이 마지막으로 찾아낸 아이돌의 최고로 빛나는 모습을 보여드리죠.

똑똑히 봐주세요

…한껏, 노래할 테니까…

사실은…

첫인상
따위는 이미
없어졌어요

오 오 오…

그런 길을
걸어왔기
때문에…
저는 조금
전쟁이가
됐었어요

파닥파닥.

그저…
어릴 적에
시시한 말을
믿고 순진하게
꿈꿨고…

하지만
그 꿈은
마침내
현실에
짓눌려
버렸고…

그런
가벼운
투로
—…

「조금
돌아서
가볼까」

같은…

…―♪

…―

「거스르는 말씨」

144

765 LIVE THEATER

MILLION LIVE!

…다들
여기
있었구
나…!

과,
관리자님
이라면,
좀 전에
사장님과
외부 분들과
이야기하던
것 같은데…

…아,
오셨어요!

라이브가 끝나면
제일 먼저
수고했다고
말해줘야 할
사람이
안 보이는데…
대체 무슨
생각일까~?

그나저나
…

톡

…
갑작스럽
지만…

'대하사극'
에 출연해
볼래? ※

어이쿠…
일단 오늘
공연 수고
했어!

미안해,
중요한
얘기를
하느라

으음…

※대하사극 : 공영방송에서 방영하는 국내 최대 규모의
　　　　　대형 연속 역사 드라마.

148

그러니까… 어디서부터 설명할까

예???

…츠무기. 최근에 할머니를 도와드린 적이 있다면서?

예…?! 저… 저기… 말이죠

그랬더니 마침 찾고 있던 배역의 이미지에 딱 맞았다나. 그래서 꼭 출연해 달라고…!

대

감독님 친척이시라나봐. 그분이 계속 추천해주신 덕분에, 감독님이 츠무기를 보려고 오늘 공연에 오셨거든

아…

좀 더 있다가 일이지만, 드라마랑 제휴하는 세 사람의 곡도 준비해서… 앞으로는 유닛으로 활동하는 것도 좋겠다는 얘기도

자, 잠깐만요 타임!

대단해요 츠무기 씨! 정말 축하드려요!

그 일은 말하자면 활동사진의 정점…! 이건 꼭 받아들여야 해요! ※

아, 츠무기 혼자가 아니라, 에밀리랑 토모카도 같이야!

예에에?!

※활동사진 : 드라마

출연은 몇 화뿐 이지만, 사극의 영향력은 아주 커

…이건 기회야! 하자!

오늘 세 사람의 퍼포먼스가 결정타가 된 거라고

그건 아니지! 그건 단순한 계기일 뿐이야

저, 저는… 그때, 그런 생각이…!

그런 걸로 큰일의 오퍼를 받다니… 비, 비겁하지 않나요?!

…화제성의 규모를 생각해 보면, 이 타이밍이 겹친 건 오히려 요행이 아닐까

참고로 전 지금부터 「아틀리에 시엘」로 전국을 돌아야 하는데…

그건 어떻게 생각 하세요~?

프로듀서 ~?

…그, 그럼…!

우후후, 점점 여신이 원하는 말을 알아 가는 것 같네요~♪

꽉

이건 토모카의 경력에 크나큰 기회가 될 거야. 난 양쪽 모두 제대로 …바빠 지겠지만, 할 테니까. 열심히 하자!

......

예…!

결정됐네요

세상에 이런…

기적 같은 일이 일어나다니…!

우연히 봤거든요

이야기한 걸

학교 선생님이

싯쿠건, 감독님

알고 계셨나요?

토모카 씨는

예!?

이렇게 됐군요

후후 역시

대단하다 츠무기! 사극이라니…! 정말 축하해!

그때는 꼭… 웃는 얼굴로——!

으아——!

사쿠라모리 씨… 전 겨우 당신에게 한 걸음 다가간 것 같아요

언제 다시 만날 수 있을지는 모르겠지만…

저, 저기… 제가 말했어요. 오늘 현장에서 돌아오다가 우연히 만나서…

그야… 당연히 츠무기 보려고 왔지

신곡 부른다는 얘기 듣고 깜짝 놀랐어

사사 사쿠라모리 씨?! 어째서 여기…?!

저도 왔어요

뭐, 그래?! 유리코. 우리 지금부터 같이 극장에 갈까?

갈래요

그, 글쎄요…. 아, 극장 하니까! 모모코한테 들었는데, 오늘…

이래 저래 쫑알쫑알

내일 극장에도 인사하러 갈까 하는데… 세뱃돈 준비하는 게 좋으려나…?

새해 첫날부터 카오리 언니를 만나다니…♪

후훗♪ 유리코, 올해도 잘 부탁해

뭔가 이상하다 싶을 때는 일단 눈을 보면서 말할 것! 카나한테 배웠어

…저기, 츠무기

가까워…

뭐… 뭐뭐뭐…

슥

저 '같은 걸'?

그, 그랬군요… 그런데 안 그래도 바쁘신데 저 같은 걸 위해서…

?

우리가 처음 만나고 처음 극장에 온 날…

프로듀서 님이 약속했던 것, 기억 나?

허

……!

지금 내 '꿈'은 …!

……

처, 처음 뵙겠습니다! 제 이름은 …

잘 부탁 드려요 ~♪

여러분은 앞으로 개장 공연을 위해서 같이 준비하게 될 텐데…

그게 정리 되면—

여러분이 여기서 이렇게 만난 것도 인연이야

…응! 느낌이 왔다!

5명이 유닛 활동을 해볼까!

이부키 츠바사
TSUBASA IBUKI

카스가 미라이
MIRAI KASUGA

그때 처럼 다섯이서…

유닛을 짜서 아이돌을 하는 거야

해냈다

아무것도 모르는 새로운 세계에서… 혼자서 활동하는 일도 많아졌지만

다섯이서 지냈던 그 첫날이… 얼마나 큰 도움이 됐는지…!

미라이도 시즈카도 츠바사도…

물론 츠무기도…!

나한테는 특별하고 소중한 존재야

정말… 얼마나 어리석었던 걸까요…

그런 소리는… 하지 말아줘…!

멋대로 거리를 느끼고, 멋대로 틀어박히고…

부탁 이니까…

…… 나는…

사이가 좋으니 보기 좋구만!

사장님

저 둘은 또 하나…커다란 벽을 넘은 것 같군

으흠!

이 단계에서 벽의 높이를 실감하는 것이 어떤 영향을 줄지… 신중하게 생각해야 한다고 봅니다

분명, 아이돌들을 모두 훌륭한 가능성을 지녔습니다… 하지만, 아직 원석을 연마하기 시작한 단계

…… 그렇군요…

그 『ULA』 건… 생각해봤나?

나는 저 친구들 이라면… 혹시 모른다고 보는데 말이야

뭐…뭐야

지금 뭔가… 어렴풋이 보인 것 같습니다

……하지만…

조금만… 조금만 더 뭔가가 있으면…

그걸 위한 열쇠는…

정말 멋졌어… 츠무기 씨네. 게다가 대하 사극 이라니!

…유리코

나… 나도·뭔가…

잠깐 이리 와주겠어

프로듀서 님.

그나저나…

하으…

천체 공연?

…아, 들어본 적 있어요

카나에게 들렸어요!

으, 응. 표현이 꽤 장대 하지만… 뭐 그런 느낌이야!

분명 별자리 이름을 붙인 아이돌 유닛이 우주라는 무대 위에서 웅대한 별들의 이야기를 그리는… 그런 극장 정기 공연 말이죠!

복도에서

복도에서 뛰지

와앗…!

엄청 관심 있어요…! …그런데 그거, 유닛 활동이죠

겸임…? 하게 되면, 코노미 씨네랑도 상담해야…

맞아. 하지만 그건 너무 걱정 안 해도 돼

유리코네 유닛이 바빴던 때 시작한 기획인데, 꽤 평판이 좋거든.

그래서 다음 천체 공연에 유리코를 출연시키고 싶어

……

…유리코는 얼리 크리스마스 때까지 계속 열심히 해왔으니까. 어렵겠다 싶으면 사양 말고 말해줘

…프로듀서 씨. 아직도 그때 일을 신경 써서…

천체 유닛은 상설이 아닌 기간 한정 이니까. 「FleurS」 활동에는 지장이 없을 거야

하지만… 이번에도 일시적으로 유리코 레슨 양이 늘어나게 될 거야

158

—언제까지고 걱정하게 만들면 안 돼!

그 날, 난 결심했으니까.

카나네 BNS 공연과 오늘 신춘 공연을 보고… 신선한 자극을 잔뜩 받았어요!

제 안에 있는 이야기를 표현하고 싶은 기분이 넘쳐날 정도로…!

…고맙습니다. 하지만, 걱정은 안 하셔도 돼요!

저… 지금 불타고 있어요

그러니까 프로듀서 씨

천체 공연… 꼭 참가하게 해주세요!

톱 아이돌이 되기 위해… 모모코랑 코노미 씨한테 어울리는 아이돌이 되기 위해, 더 더욱 강해지겠다고.

그러기 위해서라도 다양한 일에 도전해야 해…!

예! 저, 온 힘을 다 해서 리더 역할을—

…… 예?

고마워. …유리코, 정말 훌륭해졌네

그 정도면 안심하고 리더를 맡겨도 되겠어

159

유닛 이름은 「비르고」

멤버는 나가요시 스바루, 모가미 시즈카…

어라?

그리고 리더, 나나오 유리코!

톡

…리더로서 멤버들을 잘 도와줘

너만 믿을게!

세트 리스트 같은 건 나중에 설명할 거고… 그리고 중요한 게 하나 있어

이 공연은 시즈카가 솔로곡을 발표하는 BNS 특별 공연 이기도 하거든

내가 리더…?!

765 LIVE

MILLION LIVE!

내…

네… 네…

에밀리 스튜어트
EMILY STEWART

유창하고 독특한 일본어로 말하는, 13세 영국인 소녀입니다.

일본을 크게 동경하고, 아이돌 활동을 통해서 훌륭한 요조숙녀가 되기를 꿈꾸고 있습니다.
예의바르고 성실한 성격이지만, 일본 문화에 접하면 바로 흥분한다거나,
좋아하는 말차를 즐길 때면 자기도 모르게 얼굴이 풀어지기도.
그리고 이해할 수 없는 일에는 쉽게 의견을 굽히지 않는 완고한 면도 있습니다.
전체적으로 아직 어린애답고 나이에 걸맞은 부분도 진하게 남아 있고,
그런 모습이 얼핏 보이는 순간이 정말 귀엽습니다…!

…참고로! 이번 이야기에서 나왔던 다섯 명은 9화와 1화에서 언급했던 유닛이었습니다.
그 부분을 그렸던 게 벌써 3년도 전에 일이니까, 혹시나 해서…!
다음 편은 비르고 편, 기대해주세요!

…그리고! 사실은 올해도 크리스마스에
특설 홈페이지에 게재할 예정인
BNS 특별편을 준비하고 있습니다.
이번 이야기와 직접 관련이 있는 건 아니고,
FleurS 세 명이 메인인 것도 아니지만,
기합을 잔뜩 넣고 여러 가지를
준비하고 있으니…!
그쪽도 제발, 부디!
기대해주세요!

https://www.ichijinsha.co.jp/idolmaster/

Written by ima

크리스마스 특별편

유사 연인 체험?

잠깐 기다려 유리코! 분명히 뭔가 착각했어~!

아, 아무튼 실례했습니다~~!

죄죄죄죄송 해요 바바바바 방해를 했네요! 제 존재는 잊어주세요!

설마 두 사람이 그런… 자, 자세히… 아, 아니…

타닥

그랬군요… 그래서 실제로 체험해보기로 한 건가요!

그런데 둘 다 그런 연애 경험이 없으니까… 어떻게 연기해야 좋을지 모르겠더라고

러브러브 했던 연인… 하지만 어느샌가 엇갈림이 쌓이고, 결국 크리스마스 밤에 헤어진다는 내용이에요

그래! 우리가 이번에 통화 앱 PV에 출연하게 됐거든

! 크리스 마스…

…어라? 그런데 크리스마스 공연 출연자 중에 미나코 씨네 이름은…

…PV에서 사용할 곡은 크리스마스 공연에서도 공개할 예정이거든

나… 꼭 제대로 보여주고 싶어서

참고로! 이번 이야기는 저희가 열리 크리스마스 이야기를 들은 직후 정도 시점입니다.

…그렇게 됐으니까!

우리가 출연하는 건 조금 이른 얼리 크리스마스… 크리스마스 당일에도 이벤트가 있겠네

스케줄 문제로 많은 멤버가 모이기는 힘드니까… 올해는 크리스마스 이벤트를 나눠서 할 생각이거든

아, 맞다…!

✱ 밀리온BNS 14화에서

…그래!

나도 얼리 크리스마스를 위해서 레슨 열심히 하자…!

꽉…!

아, 예! 수고 하셨습니다!

먼저 가보겠습니다

오늘은 미즈키 군네 가서 잘거야♪

또 봐, 유리코!

탁…

예… 솔직히 기대하고 있어요

정말로 주방 써도 돼?

좋~았어! 그럼 바르…

집 정말 깨끗하다…

실례합니다~

오늘은 부모님이 외출하셨으니까… 편하게 게세요

호아~

부오오~

좋았어!

우승은———…

노노하라 아카네!!!

아… 미, 미안! 혹시 내가 너무 심했나? 잡지에서 봤는데, 너무 챙겨줘도 안 된다 더라고~…

아뇨…

사타케 씨는 정말 잘 챙겨주는 타입이네요

식사부터 몸단장까지 전부 챙겨 주시고… 이래도 되는 걸까, 미즈키

달칵

며칠 동안 같이 지내면서 생각했 는데…

…
에헤헤, 다행 이다

장래에 사타케 씨랑 진짜 연인이 될 사람은 정말 행복할 거예요

솔직히 말하 자면 정말 좋아요

배려는 사타케 씨 좋은 점…

……
사타케 씨, 자요?

응?

자, 이제 자자!

실~컷 먹고 실~컷 자는 게 건강의 비결 이니까!

저는 굳이 따지자면… 살이 별로 없어서….

!… 어째서?

…솔직히 말하자면… 사타케 씨가 유사 연인 체험을 제안 했을 때…

제가 사타케 씨 연인 역할을 할 수 있을지… 처음엔 불안했어요.

그·리·고! 몸은 나중에 커질 수도 있잖아 ♪

그렇다 니까! 따뜻하고 커다란 '마음'… 그게 제일 중요해

… 사타케 씨 답네요

……! 그런가요

충격적인 사실이네 …!

…나, 나한테 뭔가 오해한 거 아냐?

딱히 살집이 있어야 한다는 그런 거 아니거든

…제대로 사랑을 해본 적도 없고, 앞으로도 누군가 한 사람을 당당하게 사랑할 수도 없는 저한테는, 안 어울리는 게 아닌가…

전에… BNS 제2 공연에서 모모세 씨가 말했어요.

우리는 아이돌… 누구 한 사람만 사랑할 수는 없어

……

살 얘기는 반쯤 농담 이지만…

그래도 불안 했던 건 사실 이에요

…사타케 씨. 저는 당신한테 보살핌만 잔뜩 받았어요. 제가 뭔가 보답을 했나요…

물론이지! 돌보는 건 내 취미랄까 삶의 보람 이니까… 그것만으로도 즐거워!

연인이 생기면 이런 느낌 이려나, 하고 여러모로 생각할 수 있었고

…… 그래서 …

…미즈키, 나 말이야 …

・・・

…하지만 가끔씩 편지가 와

빨리 미나코 솔로 곡을 듣고 싶다는… 편지

……!

극장 단골손님들도 좋아해 주면서, 나한테서 힘을 받는다고 해주고…

데뷔해서 반년 정도… 지금까지 여러 일을 경험했고… 팬도 늘었고

레슨이 힘들 때도 있지만… 매일매일 행복해

169

그래도… 카오리 씨나 미야네… 그리고 유리코네도 있고

소, 솔직히 말이야? 나 말고도 아직 BNS 공연에 출연하지 않은 사람들이 잔뜩 있고…

솔로곡은 그 사람에 맞게 생각해서 만드는 거니까, 사람에 따라서는 시간이 걸리는 것도 이해는 해

훨씬 앞서가는 사람도 있잖아

…나도 더 나아가고 싶어

…… 사타케 씨…

내가 서 있는 곳은… 나 혼자만의 꿈이 아니니까

그러니까… 한마디로… 불안하게 해서 미안하다고 할까…

아니… 아니다

고, 고맙다고 말하고 싶었어

아무튼 일단… 이번 PV 촬영과 크리스마스 공연을 잘 해내고 싶어

…이번 일을 잡아다 준 프로듀서 씨 기대에 보답하기 위해서도

무엇보다 날 응원해주는 사람들을 위해서도…!

…모모세 씨가 이런 말도 했어요

아무튼… 걱정 안 해도 되니까

사타케 씨의 큰 사랑은 진짜라고 생각해요

… 얘기하길 잘 했어요

우리를 응원해주는 팬분들에 대한 마음도 진짜고… 그것도 사랑의 형태 중에 하나

그 사랑을 전하기 위해, 우리는 무대에 서는 거야… 라고

……!

…응!

당신과 같이 지낸 저는 행복한 사람 이에요

…열심히 해요. 끝까지… 둘이서

171

나도…

미즈키랑
같이
지내서
행복해

의상이…
별로라
든지?

의상은
최고예요…

그,
그렇구나.
호흡은
최고로
잘 맞네.

둘 다 왜
그래…?

…저기,
그래서…

와아아아…

EATER

몇주 뒤…
크리스
마스
공연 당일

칙

칙

하앙…

172

그렇구나…
유사 연인
체험을
그렇게 준비
해줬구나.

PV 촬영도
끝났으니까,
이 공연으로
진짜진짜
끝이다
싶어서…

게다가
실연
노래라서
더…
눈물이
나려고
해요

짝
짝
짝짝…!

미즈키
군이랑
헤어진 게
슬퍼서…

와아아아…!

…무슨
말이야?

두 사람이
열심히 해준
덕분이야

…
미나코,
미즈키.
내년엔
바빠질
거야

이번
공연이
끝난 뒤에
얘기하려고
했는데…
그 PV가
아주 호평
이거든.
꼭, 두
사람을
같이 쓰고
싶다고
하셨어

…아직
끝난 게
아냐

예?

앞으로도

……!

그 전에!

프로듀서
…자세한
얘기
플리즈.

예…?
프, 프로
듀서 씨!
그게 정말
인가요!

꽉!

알았지!

먼저 오늘
극장에
와주신 팬들께
두 사람의
멋진 모습을
보여줘

꽉!

다음은
이 곡!

저희의
어른스러운
매력...
잘 봐주세요
~!

미나코~!

여러분~
즐거운
신가요~?

마카베~!

예!

···「Little Match Girl」!

츠무기 씨네 신춘 공연이 끝난 날 밤…

아… 자, 여러분!

앞으로에 대해 할 얘기도 더 있지만… 딱딱한 얘기는 일단 생략할까

오늘 공연 무사 종료! 그리고 극장이 무사히 새해를 맞이한 것을 축하하며…

건배!

와…!

건배!

프, 프로듀서 님…

아 이원!으!!!

에밀리, 초밥도 있어~♪

초, 초밥··· 와, 와사비도 들어 있나요?

저, 정말 맛있겠어요···!

하으···!

덤 만화

둘 다 사양하지 마세요

그냥 견학하러 온 건데…

저희도 뒷풀이에 참가해도 되는 건가요?

소소한 신년회도 겸하는 거니까!

수고하셨어요!

늦었지만 감사하다는 말을 하려고요

아, 츠무기 씨!

수고하셨습니다!

저기… 나나오 씨

아…! 근데, 다른 사람들 앞에서… 괜찮으려나

그, 그럼 조금만…♪

카오리 씨, 일단 술도 준비했어요

크흠

애… 얘기가 그렇게 전해진 사태는 둘째 치고… 그거 맞아요

아무튼 다시 제대로…

아! 그 에밀리랑 데이트 했다는…

데이…?!

감사?

지난번에 역에서 절 찾으러 다니셨잖아요? 스오 씨네랑 같이…

178

그리고 왜! 우리한테는 특별한 유대가 있잖아요.

예…?

괘, 괜찮아요! 마침 그 날 한가했으니까… 힘들 때 서로 도와야죠!

그때는 정말 고마웠습니다

폐를 끼쳐서… 죄송합니다

…오늘 공연, 정말 훌륭했어요.

전, 츠무기 씨는 틀림없이 앞으로… 더더욱 훌륭한 아이돌이 될 것 같다는 생각이 들어요

그리고 사극 같은 커다란 일까지…

BNS 첫 공연에서 리츠코 씨의 지옥 특훈을 같이 견뎌낸 유대가…!

아… 후훗, 그랬죠

…그건 그렇고, 사실 저도 츠무기 씨한테 물어볼 게 있는데…

나, 어느새 그런 데 소속됐지…?

타박 타박

나나오 씨…!

화과자 당원?

같은 765프로 화과자 당원으로서… 츠무기 씨 활약을 응원할게요!

179

좀 전에 분위기… 두 사람 사이에 엄청난 사정이 있는 것 같던데 말이야~ 대체 무슨 일이 있었나요~?

토, 토모카 씨~!

카오리 씨랑 얘기지~?

히야

그거~ 나도 궁금했거든!

에밀리는 궁금하지 않은가요~?

그런 일에 함부로 끼어드는 건 요조숙녀답지 않다고 생각하는데요…

그, 그건…!

어, 누구… 아, 카오리 씨?!

저기 저기!

빤히…

……

하하… 큰일났네. 평소엔 이렇게 빨리 취하지 않는데…

오, 오해하지 마. 정말로 얼마 안 마셨으니까!

프로듀서 씨가… 취하게… 해서…

왠지 분위기가…

안 취했어요! 어른이니까!

오늘까지
몰랐는데,
지금
생각해 보면
우리 계속
엇갈렸
잖아?!
대체 왜?!

그,
그건…

극장에서
만나면
바로 딴 데
가버리고
…

…메시지
보내면
대답이
너무 짧고

그리고
츠무기 씨는
잠시…
지금까지
생각한 것을
얘기했습니다

이젠
해결된
일이니까…
얘기
할게요

아,
알겠
습니다

으
……
음…

하지만
이젠 저랑
가는 세상이
다르다고…

어쩌면
저 같은 건
이제…
안중에도
없는 건
아닐까…

저는…
사실 데뷔
전에
그 시절
처럼…
같이
활동하고
싶었어요

같은 날
극장에 온
카오리 씨가
계속 앞으로
나아가는데,
자기는
그러지
못해서…
불안하고
초조했다고

에밀리랑
지내면서
그 마음을
자각하고
받아들일
용기가
생겼다는
얘기를…

전부 제 성급한 생각이었다는 걸… 오늘 알았어요.

그걸 가까이서 실감하는 게 무서워서… 거리를 뒀어요…

하, 하지만!

츠… 츠무기―

… 앞으로도 기억해줘

아무리 떨어져 있어도 지금 내가 있을 곳은…

도리도리

사쿠라모리 씨… 정말 죄송해요

너와 같이 아이돌이 된…

이 극장이야…!

765
MILLION

그랬군요…

계속 혼자 바쁜 날들을 보냈으니까…

그동안의 긴장이 오늘 겨우 풀린 게 아닌가 싶어요

새액새액…

…카오리 씨, 정말 오랜만에 마셨다나 봐요

쿠웅

부담감~

그 공연의 리더가 나나오 씨고요

그… 그렇다더라고요…

!

이번 공연에서 모가미 씨가 솔로곡을 공개하고… 그 뒤에 저희도 유닛 데뷔시켜 주겠다고.

…사실은 아까 프로듀서가 약속해 줬어요

꼭 그래서는 아니지만… 나나오 씨

저희 유닛과 나나오 씨네 유닛에는 뭔가 신기한 인연이 있는 것 같아요

저는… 전에 스오 씨한테 도움을 받고…

사쿠라모리 씨도 예전에 바바 씨한테 큰 신세를 졌다고 들었어요

183

꿈…

그 말을 들은 순간, 저는―

같은 꿈을 품은 동료로서…

앞으로도 부디… 잘 부탁드리겠습니다

보이지 않는 미래에 대한 불안과 고뇌를 품고…

…물론이죠! 저야말로… 잘 부탁드려요!

틀림없이… 모두 우리랑 똑같아요.

츠무기 씨도… 톱 아이돌 이라는 엄청난 꿈을 품었다는 걸 알았습니다

저희 아이돌은 내일도

새로운 무대로!

그래도 한 걸음씩… 꿈을 실현하기 위해 걸어갑니다

많은 사람과의 만남과 도움을 거쳐…!

184

「아이돌 마스터 밀리언 라이브! 시어터 데이즈
브랜 뉴 송」 제4권을 구입해주셔서 감사합니다!
작가 ima입니다.

이번에 단행본을 내면서
다시 한 번 처음부터 읽어봤더니
모두가 「카오리 씨 대단해!」
라고 말하는 장면이 많지 않나…?!라고 생각했습니다.

물론 카오리 씨의 약진이 이야기의 주축 중 하나니까,
의도적이기는 합니다만…!

카오리 씨가 훌륭한 자질을 지닌 건 틀림없지만,
그렇다고 혼자만 특별한 존재는 아니라고 생각합니다.
이 만화속 세계에서 우연히 큰 기회가 찾아왔고,
노력해서 그 기회를 살린 결과입니다.
카오리 씨는 물론 765프로의 아이돌 모두가 특별하고,
모두가 그렇게 될 가능성이 있으니까요!

그런 BNS 제4권, 재미있게 봐주셨나요?
앞으로도 혼을 담아서 있는 힘껏 Fleurs와
극장 아이돌들의 활약을 그려갈 테니,
변함없이 응원해주시면 감사하겠습니다!
그럼, 제5권에서 다시 뵙겠습니다~!

ima

MSN Comics 022

THE IDOLM@STER
MILLION LIVE! | **THEATER DAYS Brand New Song 4**
(브랜 뉴 송)

2024년 6월 15일 초판 1쇄 발행

저자 ima **원작** 반다이 남코 엔터테인먼트
번역 김정규
편집·디자인 김철식

발행인 박관형
발행처 ㅁㅅㄴ(MSN publishing)
주소 [08271] 서울시 구로구 경인로20나길 30, A508
웹 http://msnp.kr **메일** mi-sonyeo@naver.com **FAX** 0505-320-2033

ISBN 979-11-87939-95-5 07830 (4권)

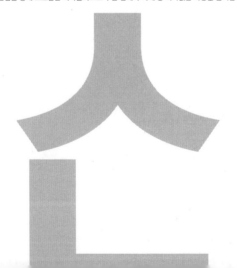